世界の見方が変わる50の概念

齋藤 孝

草思社文庫

世界の見方が変わる50の概念◉目次

【序】〈概念〉を味方につければ、世界の見方が変わる　15
(01)【パノプティコン】過剰な自己規制でしばりをかけていないか　28
(02)【野生の思考】ないものねだりをしていないか　32
(03)【オリエンタリズム】何でもひとくくりにしようとしていないか　37
(04)【ノマド】秩序や固定観念にしばられていないか　41
(05)【トゥリー／リゾーム】整然としているのはいいことなのか　45

(06)【記号の消費】
付加価値的な情報に踊らされていないか　49

(07)【差異の体系】
実体に意味があると考えていないか　53

(08)【パラダイム】
固定的な思考の枠組みにはまっていないか　57

(09)【反証可能性】
自分に有利なもので自説を固めていないか　61

(10)【実存主義】
人生を人まかせにしていないか　65

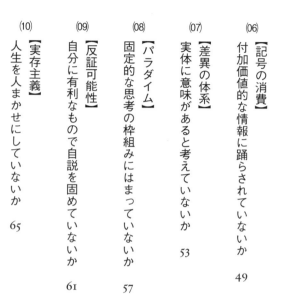

(11) 【不条理】
理不尽に耐えることに意味はあるのか 69
(12) 【間主観性】
自分勝手に物事を判断していないか 73
(13) 【エス/自我/超自我】
自分を野放図にしたり抑えすぎたりしていないか 77
(14) 【快感原則/現実原則】
欲望のなすがままに生きていないか 81
(15) 【中庸】
臆病と無謀……両極端に傾いていないか 85

(16)
【イデア】目や耳にするものを本質と思っていないか　89
(17)
【理念型】現実がわかったつもりになっていないか　93
(18)
【超人】ちっぽけな人間になっていないか　97
(19)
【身体知】頭でっかちになって動きが遅くなっていないか　101
(20)
【自然体】肝心な場面で緊張して失敗していないか　105

(21)【呼吸】
相手の呼吸に無関心でいないか 109
(22)【型】
型どおりではいけないと思っていないか 113
(23)【技化／量質転化】
上達できないとあきらめていないか 117
(24)【顧客】
自己実現ばかりを考えすぎていないか 121
(25)【マネジメント】
自分一人でなしとげたと思っていないか 125

(26)【交渉】自分のやりたいことを押し通そうとしていないか　129
(27)【他力本願】自分本位で迷路にはまりこんでいないか　133
(28)【アイデンティティ】君は何者かと聞かれたときに答えを持っているか　137
(29)【天地有情】感情は自分の心にあるものだと思っていないか　141
(30)【離見の見】自分の見方が絶対だと思っていないか　146

(31)
【スタイル】
自分のスタイルと呼べるものを持っているか　150

(32)
【加速度】
自分の手には負えないと立ち止まっていないか　154

(33)
【フロー体験】
自分の心が滞っていないか　158

(34)
【弁証法】
矛盾や対立を怖れて萎縮していないか　162

(35)
【胆力】
プレッシャーに弱いからダメだと思っていないか　166

(36)【素読】
声に出して読む伝統をないがしろにしていないか　170

(37)【マインドフルネス】
今という時を生きているか　174

(38)【通過儀礼】
通過儀礼をないがしろにしていないか　178

(39)【過剰性】
過ぎたるは及ばざるがごとしと思っていないか　182

(40)【美意識】
自分の利益ばかりを追求していないか　186

(41) 【単独者】人とつるむことで安心していないか 190

(42) 【浄化】些細なことで感情的になっていないか 194

(43) 【祝祭】人生は単調でつまらないと決めつけていないか 198

(44) 【侵犯】安全地帯にとどまってばかりいないか 202

(45) 【上機嫌】不機嫌をかっこいいと思っていないか 206

(46)【模倣の欲望】人まねはいけないことと思っていないか 210
(47)【ビルドゥング】自分の成長を意識してとらえているか 214
(48)【智・仁・勇】人としての徳を意識して生きているか 218
(49)【悟り】悟りなんて自分には無縁と考えていないか 223
(50)【粋】粋な生き方は古くさいと思っていないか 228
文庫版あとがき 232

【序】

〈概念〉を味方につければ、世界の見方が変わる

概念は「武器」である

「概念《がいねん》」というのは思考力にとって大変大事なキーワードですが、日本語としてわかりにくい印象があります。英語・フランス語ではコンセプト（Concept）、ドイツ語ではベグリフ（Begriff）です。辞書的な定義としては、「事物の本質をとらえる思考の様式」などとあります。

具体的なものごとはさまざまバラバラに見えます。そこに共通する「本質」をつかまえて言葉にしたものが「概念」です。ですから、概念は抽象的なものです。

その概念でいろいろなものを見ると、ものごとが新しい視点で見えてきます。「抽象的」というと一般的には「はっきりしない」という否定的なニュアンスもありますが、具体的な見方では見えてこない本質までを見通すよさが抽象語にはあります。

「君の話は抽象的だ」と否定的に言われるときは、抽象語（概念）を具体的なものごとに関連づけて話せない弱点があるということです。概念は具体的なことと結びついて力を発揮するものです。概念を並べるだけではダメです。「使いこなす」ことに意義があります。

哲学・思想では、こうした概念がたくさん生まれ、用語となり、新たな世界の見方を呈示してくれています。

〈すぐれた概念は、世界の見方、ものの見方を変えてくれます〉。

たとえば、ニュートンの〈万有引力〉という概念によって、人類の宇宙観は変わりました。天体の運動も地上の運動も、〈万有引力〉という一つの原理で説明できるようになりました。

孔子が語った、〈仁義礼智信〉や〈天〉といったものも概念です。私たちは〈礼〉を日常大事にしますが、それは〈礼〉という概念を使いこなしているということです。おじぎは行為の名称で、概念というほどではありませんが、さまざまな局面で〈礼〉はあります。〈礼〉の概念のある社会と、そうでない社会とはちがいます。

〈天〉も概念です。西郷隆盛は「天を相手にせよ」と言いました。この〈天〉は孔子の〈天〉の概念を継承しています。西郷の生き方の軸、生きる力の源は、〈天〉の概念にあります。決断を迫られる場面で、〈天〉に恥じることのない選択をしようとしました。島流しの孤独な身のとき、西郷は〈天〉や〈信〉や〈義〉という概念を肝に銘じて武器として、のちに維新を実現しました。

〈すぐれた概念は、先人の知恵と思考の結晶です。世界の見方を変え、思考を豊かにしてくれます。不安定になりがちな心をしっかりさせてくれるものでもあります〉。

今の世の中は、複雑かつ目まぐるしいスピードで進んでいます。そのなかで心をどう保つかが大きな問題になっています。ちょっと対処を間違えると、誰でもうつ気味になってしまいます。人と離れている気分がして、孤独感にさいなまれる。反対に、人のなかに埋没してしまって、自分を見失ったように感じる。人に気を使いすぎてストレス過多になり、人から離れたいと思うようになる。そうしたさまざまな問題が、以前よりも速いテンポで私たちを襲ってきています。

さらには、入ってくる情報も以前より格段に多くなっていますし、求められる仕事量も増えています。パソコンが導入されて、一人で三人分ぐらいの仕事がこなせるようになったことで、非常に厳しい仕事環境になってきています。また、非正規雇用が増えていることもあって、今の仕事を淡々とやっていれば安泰というビジョンが描けず、安心感が以前より減ってきています。

そんなこともあって、人生を楽にしてくれる武器がほしいと願う人が増えています。「万国のプロレタリアートよ、団結せよ」という共産主義、マルクス主義を象徴するスローガンを聞いたり読んだりしたときに、当時の人は、「自分は労働者として資本家に搾取されている」とわかって、勇気を得たと思います。共産主義、マルクス主義という概念からものの見方を得て、それを力に変えたわけです。

〈概念を知って味方につけると、世界がクッキリと見えてきます。新しいものの見方で自分や社会や世界を見ると、これまで思っていたこととちがうことが見えてきて、今までもやもやしていたのがスッキリする。概念には、人生を楽にしてくれる効用がありますす〉。

私自身の人生を振り返ると、〈概念を味方につけて武器にする〉ことによって、世の中に対処してきた感があります。ものの見方の視点をさまざまに得ることで、いろいろな見方ができるようになり、ストレスを減らして楽に生きられるようになりました。

それだけではなく、概念を自分で使ってみると、知的水準が上がった感じがしました。マックス・ウェーバーの概念だったり、ジョルジュ・バタイユの概念だったりを日常で使えたということが、実際の効用だけではなく、概念を使う喜び、知的な興奮をもたらしてくれたのです。

二八頁でとりあげた〈パノプティコン〉という概念をまったく知らなかったときと、理解したあととでは、世の中の見方が変わります。パノプティコンという概念は、実際に監視されていなくても、知らず知らずのうちに自分が一方的に監視されていると思い込むようになってしまうことだとわかると、自らストレスをつくりだしているのかもしれないと気づくようになります。

二〇一七年に成立・施行された「テロ等準備罪」（共謀罪）について、当時、ある新聞が解説で〈パノプティコン〉についてとりあげていました。この法律は「国民への監視が強まり、社会が萎縮する」ことが当初から懸念されていましたが、〈パノプティコン〉を理解すると、この問題の本質は、「監視されていなくても、監視されているように思ってしまう」ことで、自分で自分を萎縮させてしまう、自主規制してしまうという、私たち人間の主体性の弱さにあることがわかってきます。

〈**概念を味方につけると、この世界に対処する処方箋が見えてきます**〉。

七三頁でとりあげた〈間主観性《かんしゅかんせい》〉。私は若いころ、本を書くという営みは、自分が主張したいことを一方的に提示するものだと、自分勝手に思い描いていました。ところが、出版した本はまったくと言っていいほど売れませんでした。しかし〈間主観性〉、つまり主観と主観が出会い、混じり合うことによって、共通のものが形成されるという概念を知ったことで、読者が求めているものを分析し、読者の視点を取り入れるかたちで書いたところ、ベストセラーも生まれるようになりました。

〈**概念を使いこなせるようになると**、**見える風景がちがってきます**〉。

世界が見えていないから苦しいのであって、見えてしまえば楽になるわけですから、概念を使いこなさない手はありません。

概念を使いこなして生きる力に変える

大学に入ったときは、わくわく感があります。私の場合は、知的な概念に触れられたことに何ものにも代えがたい喜びを感じました。大学に入ってさまざまな概念を学ぶなかで、自分が知的な武器を一つひとつ手にしているのだと実感しました。高校時代の勉強とはちがう、そして、会社で習ったりするものともちがうであろう、さまざまな分野の概念がきらびやかに見えて、すごくわくわくしました。この概念は何を意味するのか、何の役に立つのか、そんなふうにつぎからつぎへと興味が湧いてきて、概念を渉猟《しょうりょう》することになりました。

私が大学生だった一九八〇年前後は現代思想がブームでした。今とは異なり、知の力で世の中をよくしていけるという空気感があった時代です。しかし私は、今の時代でも〈知は力なり〉というふうに思っています。私にとって〈**知性とは概念を使いこなす力**〉です。

そんな私自身の体験から、大学生になったら、最低限これとこれの概念を身につけてもらいたいということで、大学の授業でも心がけて概念をとりあげるようにしています。

三二頁でとりあげた〈野生の思考〉という概念。科学的・合理的な思考とは異なり、必要に応じてその場にあるものを組み合わせてまかなう〈ブリコラージュ〉（器用仕事）という思考法を紹介して、「では、それは自分にとってどういうことなのか、自分に引きつけて考えてみよう。ブリコラージュということで、自分でやりとげたことのある経験をエピソード付きで話してください」と学生に言うと、あり合わせのものでなんとか対処した経験を一人一つは言えるのです。こうして学生は興味を持って課題に取り組むようになります。

私が大学でやっているのは教師を育てる仕事です。教師をめざしている学生にかぎりませんが、一番大切にしなければならないのは〈知力〉の養成だと思っています。

〈**概念を使いこなして生きる力に変える**〉。

これが知力というものです。たんに知識があるだけでは十分ではありません。自分の生活や人生に生かせるかどうか。そうした〈**使える概念**〉を身につけることが大切になります。概念を知識として身につけているだけではなく、自分のエピソード付きの経験として語れるようになろうというのが、本書の目的の一つです。

哲学の教科書で哲学的概念を読んだときに、自分とはほど遠いものとしてとらえると、ただの情報にすぎなくなってしまいます。今の世の中、情報はあり余っていますから、それ自体では役に立ちません。

四五頁でとりあげたように、〈トゥリー型〉と〈リゾーム型〉という概念がありま す。「どういうものがトゥリー型で、どういうものがリゾーム型か、自分の経験でちょっと言ってみてください」と言われたときに、自分に引きつけて考えられるならば、それは概念を使いこなせていることになります。

この〈**使いこなす**〉という感覚が大事です。

本書で五〇の概念をセレクトするにあたっては、私が大学に入ってからずっと使いこなしてきて人生の役に立った概念をとりあげています。また、それぞれの解説においても、概念の学問的な背景を押さえながらも、私自身がそれをどのように使ってきたかという視点を加味しています。

概念を使いこなせるようになると、対象の実体や自分の立ち位置がはっきり見えてきて、漠然とした不安が解消され、ストレスが減ります。

〈**概念を使いこなすことはストレスの少ない生き方の最大の処方箋**〉です。

私は大学での授業の一コマで、たとえば〈アイデンティティ〉（一三七頁を参照）についてとりあげます。年度の初めに自己紹介をさせると、二〇人ぐらいのうち三、四人が高校まで野球部だったと言います。すると、野球部出身同士がその場で仲よくなります。「野球部あるある」という感じで、お互いのアイデンティティが確認されるわけです。ほかにも、自分はサッカー部だったとか、私は吹奏楽部だったなどと、盛り上がります。部活をやっていなかった学生も、「帰宅部です」みたいな感じで、帰宅部同士で仲よくなります。

「○○部出身」というのは、自分でとらえやすいアイデンティティになります。アイデンティティという概念が、授業前にははっきりしていなかったのが、部活体験を語るなかで、アイデンティティとは自分がやってきたことを明らかにすることなのだ、人は存在証明をはっきりと手にするために生きているのだと気づくと、アイデンティティの概念がにわかに身近になって、授業が終わるころにはまったくちがってきます。

概念は遠いものでも高尚なものでもなく、**〈自分自身をつねに振り返ることができるもの〉**です。ですから、古代の哲学の概念も、現代思想の概念も、あるいは東洋思想の概念も、すべて使えるものだと思うことが大事です。

概念を使いこなすクセをつける

概念を自分のものとして使いこなしていただくために、本書では、各項目の冒頭で

「問いかけ」を用意しました。この問いかけによって自分にとってこれはどうなんだろうと、引っかかりを持って読んでいただき、項目の最後にまとめを兼ねて「使いこなすコツ」がありますので、一項目あたり平均四ページでその概念に慣れて、使いこなす準備ができるという構成になっています。

この構成は野球でいえばトスバッティングです。下からポンとボールを投げるので、読者のみなさん、どうぞ打って練習してくださいという感じです。では、〈野生の思考〉というボールをトスしますので、みなさんで打ってください。この打つという作業は、その概念に合った自分のエピソードを一つ思いついてくださいということです。

大学の授業では、四人一組で、一人一つずつ、たとえば自分の〈アイデンティティ〉と思うものを語ってもらいます。部活を途中でやめてしまったとき、何をしたらいいかわからなくなって茫然としたというエピソードが語られたとしたら、その学生はアイデンティティの危機、〈アイデンティティ・クライシス〉がわかったことになります。エピソード絡みで語るのが、概念をものにする一番いい方法です。

概念はものごとを見る視点、世界を見る視点ですから、視点を持っていると、いろいろな現象がつながって見えてきます。〈型〉という概念（一一三頁を参照）がわかれば、剣道にも書道にも茶道にも型があるけれど、じつはプレゼンテーションにも型があるとわかります。異なる現象がつながってきて、共通するものとして見通せるようになります。

一つひとつの見た目の現象のちがいにとらわれないで、見渡して共通のものが見えてくる。これが概念のよさの一つです。

〈偉人たちがつくりあげた概念は大きな財産ですから、味方につけない手はありません〉。

たんなる教養、たんなる知識として知っているだけではなく、たとえば「自分はいつも弁証法的なやり方を使っています」と言えるようになったら、その人の生き方は大きく変わってきます。

〈弁証法〉（一六二頁を参照）というのは、対話によって矛盾を乗り越えて、より高い次元の結論を導き出す対話法です。一つのアイデアがあったとき、それをごり押しするのではなく、それと対立するもの、矛盾するものを考えて、その対立・矛盾を一つの形にまとめるという手順で考えることができたなら、それは弁証法が技《わざ》になっているということです。

人と話すときにも、「いや、その型はね」とか「ブリコラージュでやれないか、ありあわせのものでやれないか検討してみよう」などと、意識して概念を使って話すクセをつけると、概念が自分のものになってきます。

厳しく複雑なこの世界を生き抜くためには**〈概念力〉**が必要になります。**〈概念を味方につければ、思考力が高まります。思考の生産性が上がり、世界の見方が変わります〉**。

本書では五〇の概念をとりあげていますが、必ずしも全部を使いこなさなくてもかまいません。このなかから二つ、三つ、自分にフィットするもの、自分が使えそうなものをとりあげて、今日からでも、それを力に変える実践をしていただけることを願っています。

(01)【パノプティコン】*Panopticon*
過剰な自己規制でしばりをかけていないか。

〈パノプティコン〉とは、「すべてを見る」という意味です。もともとは、〈最大多数の最大幸福〉を説いた〈功利主義〉の祖であるイギリスの哲学者**ジェレミ・ベンサム**が考案した刑務所の建築構想を指す言葉で、〈**一望監視方式**〉などと訳されています。

ベンサムが構想した刑務所は絶妙かつ効率的にできています。監視塔を真ん中に建てて、そのまわりをドーナツ状に取り囲むように囚人房を配置するというものです。この様式だと死角がないので、監視塔から囚人全員を監視できます。

さらに、監視塔の中を暗くし、囚人房を明るくすると、監視塔の内部は見えません。すると、囚人はいつも見られていると思うようになって、監視していなくても、つねに監視されているという意識が植えつけられていきます。

自分からは見ることができないけれども、つねに見られていると思うようになることで、一方向的視線が内面化していきます。そうなると、「あっ、見られているかもしれない、変なことはできないぞ」と、誰に強制されるでもなく自分から規律に服従するようになってしまうのです。

フランスの哲学者**ミシェル・フーコー**は、この従属を〈**自発的に服従する主体**〉と呼んでいます。フーコーは『**監獄の誕生―監視と処罰**』という本で、ベンサムが提唱した一望監視方式であるパノプティコンのシステムをヒントとして、〈**人の「主体性」の脆弱《ぜいじゃく》さ**〉について言及しています。

主体・主題・主観を意味する言葉に〈**サブジェクト**〉があります。フランス語では〈**スジェ**〉(**Sujet**)と言いますが、この言葉は、〈**主体**〉と〈**服従**〉という、一見、矛盾する意味を有しています。

囚人の例で言うと、囚人が自ら、自分を監視し管理している者に従い、ついには監視塔に向かって礼拝をささげるようなことさえ起きてきます。主体性、自主性、自立性を失い、囚人的・奴隷的な精神構造になってしまう。フーコーはそこに〈人の主体性の脆弱さ〉を見てとったわけです。

フーコーが『監獄の誕生』を刊行したのは一九七五年ですが、その時点から現在に至るなかで、パノプティコン的傾向はますます強まっているように思います。

職場ではつねに上司の目が光り、学校では先生に監視され、先生も監視されています。ネット社会になりSNS社会になって、相互監視とも呼べる状況が一般化してきました。見られていると思うと、徐々に自分を萎縮させてしまう。そうなると、社会の矛盾に疑問を感じることなく従属し、その一方で、常識や規範から外れた人や振る舞いを排除する方向へと向かいます。

今の時代は会社、学校、家庭など社会のさまざまなところで監視の基準が細分化されてきています。**〈ミクロの権力〉**（微視的な権力）がどんどん侵食してきて、主体性をもって自由に活動するのとは反対に、自己規制しておとなしくなってきています。

家庭でいえば、泥遊びをしたら汚いとか、公園で鉄棒をしたら危ないと親から言われることで、子どもは反発することなく自発的にそれに従うようになってしまう。**〈監視の視線の内面化〉**が起きるわけです。

昭和二十年代、三十年代の親は、子どもの面倒を見る余裕がないので、子どもの方も親から監視されているという意識は低かったわけです。少々危ないこともやっていましたし、泥んこになって遊ぶのも当たり前のことでした。

しかし、社会が整備されてきて、親や地域や学校など、こまごまとした監視の目が強まると、子どもはおとなしくなります。自己規制が過剰になると、チャレンジ精神が薄れていきます。

私は三十年ほど大学で教えていますが、今の学生の方が監視の視線の内面化が進んでいる感じがします。今の学生は優秀さは変わらないのですが、おとなしい。マナーがいいのはいいことですが、監視を恐れないワイルドさもほしいところです。

一九八〇年代半ばから十年ほど放映されたバラエティ番組の元祖『天才・たけしの元気が出るテレビ!!』では、クイズの解答を間違えるごとに、クレーン車でつり上げられたバス（解答者が乗っている）が少しずつ海に沈んでいくという企画がありました。今では、そんな破天荒な企画はボツになってしまいます。

監視の目が光っているという意識が働いて、自己規制してしまう。チャレンジ精神なくして、面白いものは作れません。報道番組にしても、自己規制が顕著になっているように思います。

無意識の服従から脱出してチャレンジしよう。

人は自発的に服従してしまう存在だということに気づいておくことが大事です。必要以上に臆病になっていないか、SNSで相互に監視し合って自由を失っていないか、と自問し、〈勇気チェック〉をしてみよう。

02 【野生の思考】Pensée sauvage
ないものねだりをしていないか。

〈**野生の思考**〉は、フランスの社会人類学者・民族学者の**レヴィ＝ストロース**が著した『**野生の思考**』によって知られるようになった概念です。

レヴィ＝ストロースは、調査で出会ったアマゾン川流域の先住民族たちの生活が想像もしなかった豊かな世界であることを知って、未開民族の〈**野生の思考**〉を「前論理的」「非合理的」だとする見方は、西洋近代の「科学」を至上とする立場からの偏見でしかないとの結論に至りました。

〈野生の思考〉の対義語は〈**文明の思考**〉です。

〈文明の思考〉は、設計図をもとに技術者が計画的に組み立てていくような西欧流の〈**科学的思考法**〉です。設計図に落とし込んだ構想・理想に向かって組み立てていくと、おのずとその思考が加速していきます。

進歩するのはいいのですが、産業革命のときに見られたように、貧富の格差を招くなどの社会の矛盾が生じてきます。その最たるものが原子力発電かもしれません。ひとたび事故が起きれば人間によるコントロールから逸脱してしまいます。前進するのはいいけれども、いわば「加速熱」によって歯止めがきかなくなってしまう。社会全体が熱くなってしまうわけです。

〈文明の思考〉に対して、文字のない未開の社会で暮らしている先住民族などの人たちは、あらかじめきちんと設計するのではなく、必要に応じてその場にあるものを組み合わせてまかなうということをしています。

レヴィ＝ストロースはこれを〈ブリコラージュ〉(*Bricolage*)と呼びました。**〈器用仕事〉**と訳されます。「寄せ集めて自分で作る」「ものを自分で修繕する」「工夫する」を意味するフランス語です。

自分たちがおかれている環境のもとで、必要に応じて、その場その場で対応して作っていくという野生の思考は、近代的価値観からすると、西洋社会の文明の思考に劣るように思えますが、レヴィ＝ストロースは、文明の思考がもっとも優れているわけでも進んでいるわけでもなく、「未開社会の野生の思考」にも優れた点がたくさんあると説いています。

料理にたとえると、メニューを決めて、必要な食材を調達し、レシピに沿って料理するのを〈文明の思考〉とすれば、食材を調達したりせずに、手もとにあるものをうまく組み合わせてつくるのが〈器用仕事〉〈野生の思考〉です。それで十分に満足できるし、急な来客にも対応できます。レヴィ＝ストロースはその方が優れているのではないかと考えたのです。

西洋流の〈文明の思考〉には、念のために物をたくさん作っておこうということが考え方の基本にありますから、どうしても作りすぎて、必要以上に物があふれてしまいます。

大量生産・過剰生産に合わせて大量消費しなければ社会がまわらなくなるという、ねじれた発想に陥ってしまいます。服が必要だから織るのではなく、織物を大量生産できる機械ができたので、大量消費させる仕組みをつくろうという矛盾した現象が起きてきます。

かつてのインドとイギリスの関係がその典型です。イギリスはインドから原料の綿を輸入し、産業革命で登場した機織り機で大量生産し、綿織物をインドに売りつけました。それに異を唱えたのがガンジーです。インドの基幹産業だった綿織物がイギリス製品の進出で淘汰され、手工業職人が仕事を失いました。これに対してガンジーは、イギリス製品の不買運動を進め、原料はもちろんのこと、綿織物も自分たちの手で作るようになりました。

手仕事での生産ですから、自分たちが必要な分ぐらいしか作れませんが、西洋社会が過剰生産したものを消費させられるのではなくて、必要なものを必要な分だけ作ろうというガンジーの考え方は、〈野生の思考〉と言えるかもしれません。ガンジーが糸車をまわしている写真が残っていますが、これは〈文明の思考〉に対する抗議のパフォーマンスです。

私たちは、計画を立ててそれに沿ってどんどん進んでいくという〈文明の思考〉〈科学的思考〉こそが素晴らしいと考えていますが、それが招いた文明のほころびが二十世紀以降になって明らかになってきました。環境破壊や地球温暖化、核兵器もそうです。

文明の果実だと思ったものが、じつは文明を破壊しかねないものになろうとしている。〈野生の思考〉は必要なときに必要なものを作り出すので、環境に与える影響は非常に小さいものです。

身近なことでいえば、大きなプロジェクトを構想し、グランドデザインを考えて、ショッピングモールのような箱物を造ったけれど人が入らない。それを尻目に、地場の産品をうまく組み合わせて打ち出した道の駅がにぎわっているというようなことが起きています。

箱物を造ることが事業の目的になってしまっているわけですが、器用仕事で、その場その場で間に合わせたら、大きな箱物はいらなかったということです。

建物はその都度借りればいい、今いる人員で、今まかなえる予算で、必要最低限のことでブリコラージュできないか。そうした〈野生の思考〉を習慣づけておくことは今後ますます大切になると思います。

トラブルが起きて計画どおりにいかないとき。そんなときが「野生の思考」の出番です。パニックになるのではなく、ブリコラージュ（工夫）を楽しむ。メンタルが強いと言われる人は、こうした発想の転換をしています。

自分の中の「野生の思考」が目を覚ます。このイメージが活気を与えてくれます。

ありあわせのものを組み合わせて工夫してみよう。

〈文明の思考〉は、行きすぎると、ないものねだりになってしまいます。〈文明の思考〉一辺倒ではなく、ありあわせのものを組み合わせて工夫《ブリコラージュ》する〈器用仕事〉〈野生の思考〉を合理的なものととらえて補完していきたい。

(03)【オリエンタリズム】Orientalism
何でもひとくくりにしようとしていないか。

ハリウッド映画を見ていると、日本人と中国人を一緒くたにしたり、芸者を出せばいいというぐあいに、登場する日本人や日本のイメージに違和感を抱くことがあります。そうした〈**西洋人が勝手につくりあげた東洋《オリエント》のイメージ**〉を〈**オリエンタリズム**〉と名づけて批判したのが、パレスチナ系アメリカ人の文学研究者・文芸批評家の**エドワード・サイード**です。

サイードは『**オリエンタリズム**』という本で、西洋社会が非西洋社会をひとくくりに〈東洋〉と名づけ、近代化されていないという意味で「エキゾチック」、非論理的という意味で「感情的」、理解不能という意味で「神秘的」とするような、表面的な理解にとどまっていることに異議を唱えました。

日本は極東、東洋の果てにある国です。オリエンタリズムの背景には、西洋は東洋の対極にあり、世界を論理的にとらえている自分たち西洋人は、前近代的な東洋を教育していかなければならないとする思考がありました。

それが西洋による植民地支配を正当化する根拠にもなったのですが、しかし当の日本も、東洋の国々にあって特殊な存在でした。明治維新後、富国強兵に成功し、「脱亜入欧」を唱えて、アジアで一頭地を抜いてヨーロッパ列強に肩を並べようとした。それがために、アジア同胞の文化を未開なものとみなすクセがついてしまいました。それが日本によるアジア諸国の植民地化にもつながっています。ですから、日本は東洋のなかではちょっと特殊なポジションにいます。

テレビでは、日本や日本人のすぐれたところ、素晴らしいところをとりあげた番組が増えています。たとえば日本には四季があって、季節の折々にこんな美しい景色・風景がありますという紹介がされます。ところが、よく考えてみれば、緯度が同じであれば、どこの地域や国でも日本と同じように季節はめぐります。同じ緯度でなくても、たとえば北半球でもっとも気温が低いロシアのヤクーツクでは、冬はマイナス五〇〜六〇度になりますが、六月から八月は平均最高気温が二〇度を超え、ときには三〇度を超えることもあります。考えてみると、赤道直下でもないかぎり、ほとんどのところに季節があるわけです。

英語の詩にも、春の詩もあれば冬をうたった詩もあります。そう考えると、四季の文化が日本の特徴だと力んで強調するのはちょっと的外れです。日本人は「西洋」を意識するあまり、自国のものを西洋にはないものと決めつける傾向があります。

オリエンタリズムを乗り越えて、個々の民族が個々の文化をそれぞれ発信していく時代になっています。そのなかで日本を発信していこうとするとき、たとえば新幹線をはじめとする電車の定刻発車が厳守されているというのは、日本的です。また、新幹線の到着から発車までのわずかな時間でのスピーディーな車内清掃も国際的に注目されています。こうしたことが日本らしさとして評価された方が、四季があることを強調するより、日本の特徴やすぐれたところをPRすることにつながります。

クールジャパンということが盛んに言われています。桜、着物、富士山に代表される西欧から見た日本のイメージを払拭《ふっしょく》して、現実の日本においてすぐれたものを認知してもらわなければならないという意識の表れです。リオ・オリンピックの閉会式で次回開催国の日本をPRするためにゲームのキャラクターが使われましたが、これも、日本の本当の強みを発信しようとする試みです。

私たち日本人は、東洋人でありながら西洋人にもなりたがっているところがあって、もしかしたら、日本人が見るアジアやヨーロッパも、逆にひとくくりにしすぎるところがあるのかもしれません。

一口にアジアと言っても、東アジアもあれば、東南アジアもあれば、南アジアもあれば、中央アジアもある。それぞれの地域の人たちのなかには、アジアという言葉でひとくくりにされるのは嫌だと思っている人たちもたくさんいるはずです。**〈ひとくくりにする思考〉**はあまりにも単純すぎます。

よく知らないものに対して勝手なイメージを貼り付ける「レッテル貼り」は、現実を見えなくさせます。男性が「女性は感覚的だから……」とくくるのも、女性が「男のくせに度胸がない」と批判するのも、基本的にはオリエンタリズムと同じ思考です。勝手なイメージの貼り付けをやめて、こまかな差異を大切にする。これが知性というものです。

単純思考を脱して、ものごとの本質に迫ろう。

人も民族も国も、他者である以上、完璧に「知る」ことはできません。また、知らないためにイメージを勝手に作り上げるのも知性的ではありません。知識を得ながら、一方でまだまだ足りないことを自覚する。そんな謙虚な在り方が「知る」という行為です。

(04)【ノマド】Nomad
秩序や固定観念にしばられていないか。

〈**ノマド**〉は〈**遊牧民**〉を意味する英語です。人類の生活類型は移動型と定住型に二分され、そのうち移動型の牧畜（遊牧）を生業《なりわい》とする人々や民族を遊牧民と言います。農耕民族は〈**移動型**〉より〈**定住型**〉を好む傾向があります。定まったところに〈**安住**〉して、人生を充実させることが最高の生き方だとする考えです。

しかし、一つのところ、一つの社会や組織で生きていこうとすると、役割にしばられたり、他人の評価に左右されて身動きがとれないということが起きてきます。

自分の領域にいれば、知識や財産は着実に増えていきますが、そうなると、自分の価値観だけで解釈するようになってしまって、思考が膠着《こうちゃく》してしまいます。

それに対して、〈**自分の領域に固執《こしゅう》せずに、さまざまな価値を横断的に行き来しながら生きる**〉という〈**ノマド的な生き方**〉が注目されています。最近は、〈**ノマド族**〉と言われて、IT機器を駆使して、オフィスだけでなく、さまざまな場所で仕事をする新しいワークスタイルを指す言葉としても使われています。

国の枠にも会社という枠にも会社の部署にもとらわれないで横断的に仕事をするというのは、ノマド的な生き方ではありますが、組織から離れさえすれば自由を得たと思うとしたら、少しちがいます。日本では完全なフリーランスになったとき、かえって仕事がしづらいとか、仕事が来ないということもありえます。ですから、少しノマド的要素を加えてみるのが現実的なやり方です。たとえばある部署で扱っている問題をほかの部署と連携しながらやっていく。自分の所属部署を超えて、組織の論理からちょっと距離をおいたところで仕事ができている人がいると、組織は活性化します。

カフェに行ってくることで、会社にクリエイティブな発想を持ち帰ったならば、会社で机の前に座っているよりも利益を上げるかもしれません。会社に〈定住〉していれば生産性が上がると考えずに、ちょっと動いてみて、そのなかから自由な発想が出ればそれでよいではないかという行き方です。

現実に、そうした〈遊牧〉を許容する会社が増えつつあります。インターネット、メール、SNSなどのツールがあるので在宅でも不自由しませんし、午前九時から午後五時までの就業時間にしばられずに、仕事が早い人だったら、さっさと終わらせて退社してもいい。結果を出しさえすれば、仕事のやり方は問わないという考え方です。

こうした傾向に加えて、コロナ禍で一気にオンラインワークが促進されました。私も二〇二〇年度はすべての授業をオンラインのライブでやりました。

よく社長はふだん何をしているのかわからないと言われます。日中は暇そうにしている社長が結構多いのです。知り合いの社長と夕方にサウナなどで会うことがあるのですが、こんな時間に暇にしていていいのかと思います。しかし彼らの動きはどこか遊牧民的で、いろいろな人と出会って人脈をつくりながら、ビジネスチャンスを探している。会社にいるよりも得るものが多いのだそうです。

知識の修得という点でも、遊牧民的な獲得の仕方があるのではないかと思います。学問の専門家が作った知識体系を、高校用や中学用に置き換えて書かれているのが教科書です。それはそれで効率よく知識が獲得できますし、教育効果も上がりますが、理系・文系の枠にとらわれずに、科目も横断的に、自由に読書するというノマド的な勉強があってもいいと思います。書店で、体系的なカリキュラムではないけれど、自分の興味に従って本を何冊か選ぶ。横断的な読書は固定的な価値観を打ち破る一助になってくれるはずです。

『はじまりへの旅』という映画があります。文明社会に対して批判的な父親が、子どもを徹底的に自分の方針で鍛えあげるというストーリーです。ロッククライミングをさせたり、宇宙や文学などのいろいろな本を読ませて、感想や意見をどんどん聞いたりします。それによって学校教育より知的で、ワイルドだけど健康でサバイバル術を身につけた子どもが育つという、ちょっと面白い映画です。これもノマド的な教育と言えるかもしれません。

日本はとりわけ〈定住〉〈安住〉志向が強い国です。昭和三十年から四十年代は会社の組織がかっちりとできあがっていて、ある意味働きやすかったのですが、最近はプロジェクトが中心になって、十年一日、同じ仕事をしていて安泰というケースが少なくなってきています。組織を離脱するのではなく、**〈ノマド的メンタリティ〉**を持って組織の中で横断的に動くというバランス感覚が、これからますます求められます。

自由な発想で横断的に活動しよう。

ノマド的な生き方はしがらみや差別、排他性を排除することにつながります。人との関係は上下でなく、もっと自由に、おおらかでいいじゃないかという発想にもなります。自由な発想で、多種多様な価値の領域を横断的に行き来して活動することは、多様性を認め合い、もっと自由に、開かれた社会を生きることになります。

05 【トゥリー／リゾーム】 Tree / Rhizome

整然としているのはいいことなのか。

フランスの哲学者の**ジル・ドゥルーズ**と**フェリックス・ガタリ**は、人間の思考法には〈**トゥリー**〉と〈**リゾーム**〉の二つの概念があるとしました。

〈**トゥリー**〉（樹木《ツリー》）は西欧社会を支配してきた思考法です。基本原則を立て、それを基準として生物の系統樹のように幹から枝が分かれて展開していくというものです。上下関係や指示系統がかっちり決められている軍隊がその典型です。多様な価値を一つの〈体系〉〈秩序〉によって矛盾のないように統一する一方で、その整然と整理された体系や秩序に組み込まれないものを排除してきた思考法だと、ドゥルーズとガタリは批判的にとらえました。

そして彼らは〈トゥリー〉に対抗する思考法として〈**リゾーム**〉というネットワーク型の思考法を提唱しました。〈リゾーム〉は「地下茎」「根茎」を意味する言葉です。サツマイモの根っこは網の目のようにつながっていて、縦横無尽に広がっています。

異なったものを体系化・秩序化するのではなく、〈**全体を構成するそれぞれの部分を自由に横断的に接続していくネットワーク型の思考法**〉がリゾームです。

トゥリー型の軍隊では、上層部の判断が誤っていても、命令に従って行動しなくてはなりません。このように既成の秩序や体系に組み込まれて自由度を失ってしまう生き方ではなく、いわばゲリラ型の思考法があってもいいのではないかというのがドゥルーズとガタリが提唱しようとしたことです。ゲリラというのは軍隊のように組織立っていなくて、民兵がその場その場で、誰が上官ということでもなく、一人一人が自分で判断して動いていきます。

秩序にとらわれずに、時と場合で自在に接続したり切断したりしながら動いていくことで、新しい価値や発想が生まれてきます。上が言ったことだからと唯々《いい》諾々《だくだく》と従うのではなく、個々人が自分で判断して、どんどん広がっていって、それがいろいろな人とつながっていくという在り方は、クリエイティブであり、活力を生みます。

教育にも二つのタイプがあります。戦前の教育はトゥリー型と言えます。戦後の教育は、もっと自由にいろいろな価値観でやっていいのではないかということで、自由度を重視する方向へ、つまりリゾーム方向へと舵を切ったわけです。

授業スタイルでは、教師の言うことをノートに取るのはトゥリー型です。グループでの話し合いを基本にして、正答のない問題解決のプロセスをめざすのはリゾーム型です。どちらにもよさがあります。

私はネットでニュースや商品のレビューを読むのが好きです。これらレビューは評論家や専門家の意見や感想ではなくて、一般の人たちが対等の立場で発言しています。いわば素人なのですが、物知りの人がいたり、思わずうなずいてしまうような意見や感想があったりします。個々の意見に対して、別のカスタマーが意見を言うこともおこなわれていて、まさにリゾーム的なネットワークができあがっています。

私は昭和歌謡が好きで、たとえばペドロ＆カプリシャスで『別れの朝』を歌っていた初代ボーカルの前野曜子さん。ＤＶＤのレビューやYouTubeを見ると、前野さんのファンの集いみたいなものがネットワーク上につくられていて、この歌が一番素晴らしいとか、『別れの朝』には三つのバージョンがあって、そのうちこのバージョンが一番枯れているなど、マニア的な会話が地下茎のように広がっています。

前野さんが亡くなった悲しみを癒やし合うということが、地下的な空間でおこなわれています。

テレビなどのマスメディアでは情報が管理されますが、インターネット空間だと、よくも悪くも管理されきれていない広がりがあって、特殊な関心のある人たちやファン同士が集うことが可能なことを考えると、ドゥルーズとガタリが提唱したリゾーム型の概念は、インターネットの世界で一番実現したのではないかと思わされます。

生活のなかでも、地下茎でつながっている空間がある方が、息がしやすいということがあります。ピカピカの整然としたビルは明るく快適に思えますが、迷路のようにごちゃごちゃした建物にはリゾーム的な魅力があります。街並みにしても、都市計画で設計されたトゥリー型の整然とした街と、自然発生的につながった「路地」空間とでは、味わいが違います。入り組んだ路地のイメージは、考え方のイメージにもなります。

管理されていない、つながっていく地下茎のイメージで発想する。そんな〈**リゾーム型発想力**〉が求められています。

自在なネットワークでつねに変化していこう。

私たちは整然と整理されていることがいいことだと思い込みがちです。しかし、それは多様性を排除することにもつながりかねません。網の目のなかで接続したり切断したりするたびに、新しい価値や性質が生まれ、多様性が生まれる。そのような自在なネットワークでつねに変化していきたいものです。

(06)【記号の消費】付加価値的な情報に踊らされていないか。

私たちは、ブランド品と同じ素材で同じようなデザインで、もっと丈夫で長持ちする商品があったとしても、「ブランド」という情報（記号）が付け加わることで、そちらを選ぶという消費行動をとることがあります。実際の使用目的や機能よりも、ブランド品であるなしの〈**差異がもたらす価値**〉に目を向けるからです。ワインも「三十年物」と言われると、もしかしたらその年のブドウの出来が悪く、さほど品質がよくないのに、やっぱり熟成したものはおいしいですねと言ったりします。

私たちは本当に価値を見抜いているかというと、他のものとは違うと言われているから違うように感じているという場合が少なからずあります。これは、物だけではなく、文化やサービスにおいても、それぞれが持つ機能や特性ではなく、他との差異の情報（**記号**）によって判断するということがおこなわれています。

現代の消費社会では、差異、つまり差別化を図ることは当たり前の商品戦略になっています。他とほんのちょっと違う商品を後から後から作りだし、消費欲（差異への欲望）をあおりつづけていくわけです。

フランスの哲学者**ジャン・ボードリヤール**は『**消費社会の神話と構造**』という本で、こう説いています。今日《こんにち》では純粋に消費されるもの、つまり一定の目的のためだけに購入され、利用されるものは一つもない。あなたたちのまわりにあるものは何かの役に立つというよりも、「まずあなたに奉仕するために生まれたのだ」。電化製品、衣料、車などの商品は、その使用価値だけで用いられるのではなく、社会的権威や幸福感といった他人との差異を示す〈記号〉として消費されている。〈**記号の消費**〉はモノに限定することなく、ファッションから広告、教養や健康への強迫観念、暴力にまであてはめることができる……。

「格付け番組」というテレビ番組があります。一流芸能人らがAとBのどちらが高級品かを当てるという番組です。見ていておかしいのは、ふだんぜいたくな食事をしている人たちでも、何十万円もするワインと千円のワインの違いを見抜けないことがあります。ステーキでも、高級和牛と安ものの牛肉を間違えてしまう。この番組を見ていて思うのは、じつは私たちは〈差異〉を情報として聞いているから高級なものがわかっている気になっているだけで、その実体については怪しいものだということです。

消費欲をあおりつづけるために、差異の記号を付加価値的な情報として付けていく。

その典型的なパターンが「芸能人の○○さんも使用しています」です。新しく出た化粧品だとすると、その宣伝に出てくる芸能人が五十歳を超えても美しいのは、その商品を使ったからではないわけです。なぜなら、発売されたばかりの商品だからです。

よく考えればわかることですが、それでも宣伝効果があるのは、その商品を使えばその芸能人のように美しくなれるという錯覚を起こすからです。有名人を〈記号としてプラスする〉ことによって消費につなげているわけです。

こうなると、私たちは〈**記号を食べ**〉〈**記号を着て**〉いるだけではないかということになりかねません。記号を消費するという観点からすると、インターネットの世界はその典型のように思われがちです。しかし、あのブランド品はここが壊れやすいとか、あのラーメン店は無名だけど有名店と肩を並べるぐらいにおいしいといった実際の価値や情報がネット上であっというまに広まります。インターネットは本当の機能や価値を教えてくれるツールでもあるのです。

二〇一六年に放映されたNHKの朝ドラ『とと姉ちゃん』で見た方もいると思いますが、雑誌『暮しの手帖』はかつて、ファッションや飲食物・料理、各種商品のテストをおこなっていました。ブランドなどにいっさい関係なく、複数の商品を同時並行で徹底的に機能や品質を調べて比較しました。これは〈**記号に踊らされないで、実体**

を見てみよう〉という試みだったわけです。

記号の消費は対人関係についても言えます。結婚しようというときに、年収というのは記号ではありません。それは実質です。学歴は記号とは言い切れませんが、ブランド化するということはあります。超有名大学出身だと、さすがですねみたいなことになる。しかし、その人を評価するうえで大事なのは、その大学で何を勉強したか、実際に仕事をしてみたときに実力があるかないかなのです。

私たちは差異（違い）を楽しみとしています。ちょっとしたことにも差異を設け、差別化し、付加価値を見いだそうとします。そうした記号消費を適度に楽しむのは必ずしも悪いことではありません。ただ、「これは記号の消費なのだ」という意識を持っておくのが知性的な在り方です。

本当の価値や機能に目を向けて選択しよう。

「記号」という商品の価値が本来の使用価値や生産価値以上に効力を持つ「消費社会」にあって、実用的な価値、実際の価値に目を向ける必要があります。記号消費という視点を持つことで記号に過剰に踊らされずにすみます。

(07)【差異の体系】実体に意味があると考えていないか。

大学生のとき、フランス語学者・哲学者の**丸山圭三郎**さんの『**ソシュールの思想**』を読んで、〈**差異の体系**〉という概念に目が開かれる感じがしました。「意味は差異によって生まれるんだ。私たちは言葉の網の目を通してものを見ているんだ」という考え方は新鮮でした。

フランスでは蛾も蝶もパピヨンと呼んでいるので、私たちが考えるほどの違いを蝶と蛾のあいだに設けていないことになります。私の出身の静岡市では、雪は十年に一回ぐらいしか降りませんから、ただ一言「雪」で雪全般を言い表します。ところが雪国では、粉雪、牡丹雪、沫雪《あわ》などさまざまに区別して表現します。

このように、AにはAの意味があり、BにはBの意味があるから、AとBを比較できるのではなく、むしろAとBの差異が意味を生み出すと考える。言語を〈差異の体系〉として説いたのが、スイスの言語学者**フェルディナン・ド・ソシュール**です。

ソシュールは、それぞれの言語を話す人々は、どの差異を区別し、どの差異を無視するかということを恣意的《しい》に選択していると説きます。ある共同体ではイヌとタヌキを区別する必要がなければ、これを一まとめにしておけばいいし、イヌとタヌキを区別する必要があるような活動をしている共同体ではこれを別のグループにするというぐあいです。

言語は網の目のようなものです。網の目の一つ一つが言葉に対応するとすると、個々の網の目は独自に存在するわけではなく、周囲の網の目との張力の関係で定まる。ある網のかけ方ではイヌとタヌキは異なる網の目に入れられるが、別の網のかけ方では同じ一つの網の目に入れられる。

このように、言葉はその言葉一つで意味が成り立っているのではなく、その周辺に違いのある言葉があってはじめて、このラインからこっちはこの言葉ですかねというふうに決まってきます。

たとえば「たそがれ時」というものが単独にあるわけではなく、その前後の時間帯もあることによって、ではこの時間帯を「たそがれ」と呼びましょうというふうに決まってくるわけです。

そう考えると、実体の一つ一つに意味があるのではなく、私たちはそういう目で見ているから、そういう違いがあるように見えるということで、先ほどの雪の例のように、必ずしもそれを差異と認めない国や地域もあるわけです。

日本人であれば、玉ネギと長ネギを同一視する人はいません。さらに長ネギにしても、ふつうの長ネギもあればアサツキやワケギもある。あるいは産地によって下仁田《しもにた》ネギ、九条ネギなどと呼んで区別しています。

ところが、帰国子女を教えている高校の先生が言っていたのですが、英語圏から帰国した生徒たちは長ネギと玉ネギの区別がなくて、すべてオニオンと呼ぶそうです。日本人にとっては明らかに違う玉ネギと長ネギの間に大きな差異を認めずに、オニオンでくくる。外国ではネギを意味する網の目が大きいわけです。

チーズの差異に関していえば逆になります。日本人にとってチーズといえば、かつてはプロセスチーズでした。ヨーロッパではカマンベールチーズもあればブルーチーズもあればモッツァレラチーズもあるというように、個々の名前をつけて差異の体系をつくっているわけです。チーズの網の目が日本よりはるかにこまかいわけです。

ワインも、かつての日本ではブドウ酒と呼んで、赤ワインと白ワインの区別があった程度です。これに対してヨーロッパの人たちは、産地で細分化し、その上、生産年度によっても区別しています。ワインの網の目のこまかさは日本人にはちょっと理解しがたいものがあります。

こう見てきて気がつくのは、母語というものは恐ろしいもので、無意識にまで入り込んでいるので、自分が考える以上に言語に支配されているということです。

日本人は日本語の網の目でものごとをとらえる。英語で育った人は英語の網の目で世界を見る。ヒンドゥー語の人はヒンドゥー語で世界を見る。両親ともに日本人でありながら、完全に英語で育ったイギリスの小説家のカズオ・イシグロのように、英語が母語で、日本語ができないとなると、英語でもって世界を見ていることになります。

〈**自分は日本語という網の目でものを見ているのだ**〉と意識することが大切です。世界をどのように分けるか（分節化するか）は、言語によって異なる。それが外国語を学ぶ面白さでもあります。

差異にこそ意味があることを知って視点を変えてみよう。

実体に意味があるのではなく、差異・違いが意味を生み出すのだということがわかると、世界観が変わります。差異が意味を生み出すと考えると、実体以上に関係の在り方に注目するようになり、視野が広がります。

(08)【パラダイム】paradigm 固定的な思考の枠組みにはまっていないか。

トーマス・クーンの『**科学革命の構造**』で〈パラダイム〉という概念に出会ったとき、「なんだかパラダイムってカッコいい言葉だなぁ」と思った記憶があります。

〈パラダイム〉とは、〈**ある時代や分野において支配的な規範となるものの見方やとらえ方**〉のことです。

それまでのパラダイムが、まったく別のパラダイムへと移行することを〈**パラダイム・シフト**〉〈**パラダイムの転換**〉と言います。たとえば人々が天動説を信じていた時代に地動説を唱えたコペルニクスは、天文学の世界にパラダイム・シフトを起こし、地球を中心とした宇宙観はガラリと変わりました。まさにコペルニクス的転回です。

科学的知識は事実の積み重ねによって連続的に変化するのではなく、劇的かつ非連続的に変化する。これは社会や経済においても言えることで、あるパラダイムが支配的なときには、そのパラダイムを絶対視しがちになるので、天動説のように、それが正しいのかどうかが見えてこないということが、しばしば起こります。

日本が富国強兵策で国力を増強させて日清・日露戦争で勝利を重ねていたときは、他の列強も対外的に膨張していたので、日本が膨張するのは当たり前という帝国主義的なパラダイムから抜け出せなかった。もしパラダイム・シフトが起こって帝国主義から抜け出す枠組みが呈示されれば太平洋戦争は避けられたかもしれません。

時代の価値観というのは、その時代に支配的な考え方に乗っかっているわけですから、もしパラダイム・シフト、価値観の変化がすでに進行しているとすれば、〈**シフトに気づいて考え方を変えていかないと時代遅れになってしまいます**〉。

児童文学作家の新美《にいみ》南吉に『おじいさんのランプ』という作品があります。電気の時代になってランプがいらなくなったため、「お前たち（ランプのこと）の時世《じせい》はすぎた」「世の中は進んだ。電気の時世になった」と言って、売り物のランプを一つずつ割っていくという話です。おじいさんは「日本がすすんで、自分の古いしょうばいがお役に立たなくなったら、すっぱりそいつをすてるのだ。いつまでもきたなく古いしょうばいにかじりついていたり、自分のしょうばいがはやっていた昔の方がよかったといったり、世の中のすすんだことをうらんだり、そんな意気地《いくじ》のねえことは決してしないということだ」と言います。

ランプから電灯へとパラダイム・シフトが起こった。そんなときにランプにこだわって、やっぱりランプだと言っていてもラチがあきません。あるいはガラケーだと言っていても、スマホへのシフトは止められません。ですから、時代遅れにならないように〈**自分で踏ん切りをつける**〉というのも、パラダイム・シフト的な心がけです。

それまで支配的だったパラダイムに矛盾が多くなってくると、劇的にパラダイムの転換が起こります。政治の世界でいえば、一九五五年にできた55年体制は一つのパラダイムでした。しかし、一九九三年に自民党が野党に下野して、55年体制はアンシャン・レジーム（旧体制）と見られるようになりました。

ビジネス界でもパラダイム・シフト的な転換が頻繁に起きています。初期のウォークマンはカセットテープを入れて聴くだけの機能だったものが、スマートフォンの登場によって、音楽以外にもさまざまなアプリを取り込めるようになりました。そうなると、○○新聞というのもアプリの一つになってしまう。スマホは産業構造にまで影響を与える存在になりました。スマホは新しいパラダイムとも言えます。

教育の世界でも、先生が講義をして生徒が聴くという一斉授業から、生徒自身が主体的に学ぶアクティブ・ラーニングを重視しようという流れがあります。ＯＥＣＤによる生徒の学習到達度調査（ＰＩＳＡ）でも「知識や技能を、実生活のさまざまな場面で直面する課題にどの程度活用できるかどうかを評価する」問題解決型の学力を測ることがおこなわれています。これらもパラダイム・シフトと言っていいものです。

エネルギー問題でパラダイム・シフトが起こるかどうか、今の日本は微妙なところにいます。必要なエネルギーの三分の一は、火力発電などにくらべてコストの安い原子力でまかなえるとふんでいたのが、大震災で変化が起きました。安全性はもちろんのこと、廃炉費用などのコストを含めると、けっして安いとは言えなくなって、代替可能エネルギーにシフトするのかどうか、瀬戸際にあると言えます。

車の世界でもパラダイム・シフトが次々に起こっていて、ハイブリッドから電気自動車へ、さらに水素自動車まで開発が進んでいます。

パラダイム・シフトで自分を変えよう。

私たちは〈パラダイム〉に支配されて生活しています。まずは、「自分はどんなパラダイムを基準にして考えているのか」と自問してみる必要があります。新しいパラダイムにシフトすることは、自分自身の在り方を変えることになります。

09 【反証可能性】Falsifiability 自分に有利なもので自説を固めていないか。

明らかな証拠やデータがあるのに、自らの誤りを認めない。そんな卑怯な人間にはなりたくないものです。〈**反証可能性**〉は、あたかも潔く誤りを認める武士のように、科学的態度を身につけさせてくれる概念です。

ある論理を主張したとき、それと反対の例があることを呈示するのを〈**反証**〉（それが嘘だということの証明）と言います。

私たちは、科学というものは客観性を持つものと考えがちですが、あらかじめ客観性を持った科学というものは存在せず、それは今のところまだ反証されていない仮説にすぎないから、〈**反証による検証がきちんとおこなえることを呈示したものこそが科学である**〉と説いたのが、イギリスの哲学者**カール・ポパー**です。

実験の精度を上げて、もう一度実験してみたところ、理論の予測とのズレが検出されたとしたら、科学は「潔く」その結果を受け入れなければなりません。仮に何千回もの実験によって検証されたとしても、実験の精度が上がって反証されたならば、その理論は自らの「限界」を受け入れなくてはなりません。それが科学というものです。

これに対して、たとえば「この世の出来事はすべて神様がそうなるようにやっているのだ」という論理があるとすると、その主張に対して、実験や観察でその主張が嘘であることを証明することは不可能です。反証不可能ですから、この論理は科学とは言えないわけです。

私は大学時代にポパーの『**科学的発見の論理**』を読んで、彼は頭がいいなと思いました。マルクス主義は科学的な社会主義と言われて、階級闘争の過程を経て、ブルジョア革命からプロレタリア革命に至る。資本主義や社会主義の段階を経て共産主義に至る。これは歴史法則であり科学なのだと主張しました。

若いころにマルクス主義に傾倒したポパーは、「将来は民主主義国家から共産主義国家になるのだ」「人類の歴史には法則があって、将来はすべての国が共産主義国家になるのだ」という主張に、うん？　と思ったにちがいありません。全部自分たちの都合のいいように説明して、反証を許さないというのは、科学とは言えないと考えたわけです。実際、社会主義、共産主義になっても、平等な社会は実現しませんでした。

フロイトの精神分析学にしても、このような精神状態になっているのは過去のトラウマによるものだと主張されても、反証しにくいというか、そうではないと否定しにくく、なんとでも言えてしまうのはおかしいということを、ポパーは感じていたのだと思います。

ある論理に対して、それは違っていると反証されたら修正する。修正しようとする人は科学的な態度があるけれども、それは偶然だとか、これこれこうで間違っていないと言い張ると、この人には何を言っても無駄だとなります。

たしかに、せっかく自分の論を張ったのに、それはこういう意味で違うよと言われたら、反発を感じたり、がっかりしたりします。自分の言ったことに対して反証を突きつけられるのは、ちょっと嫌な気がするものですが、反証されたら、「あっ、すみませんでした」と限界を受け入れる潔さが大事です。

私たちの身近にも素直に修正する潔い態度を持っていない人がいます。たとえば会社の上司が、否定的なデータがちゃんと出ていて、自分の方針が明らかに間違っていたのに、その非を認めない。

そうなると、大本営発表みたいになってしまいます。明らかに戦況は不利なのに、それを受け入れて修正しない。「敗退」ではなく「転進」という言葉で、あたかも有利な状況で戦いつづけているかのように言いくるめてしまう。そこから「大本営発表」は「嘘だらけの公式発表」の代名詞と化したわけです。

湯川秀樹博士は自分で自分の仮説をつぶすということをつねにやったそうです。毎晩いろいろな仮説が頭に浮かんでくる。次の日にそれを研究室に持っていって、自分で自分の仮説を検証し、自分でつぶしてしまうということを繰り返しやった。自分の仮説に自分で反証を試みるという誠実で科学的な態度です。しかし、それはとても苦しいことです。つい自分の仮説に有利な条件だけを集めてしまいがちですが、湯川博士は仮説と反対のデータを突き合わせて仮説をつぶす作業を毎日やっていたわけです。

ネット上では一方的な中傷や決めつけと言っていい非難が見られます。筋の通った反論をされたときに、無理やりな自説擁護をしないことが大事です。科学的態度は、いざとなれば自死をいとわない潔い武士の覚悟に似ています。

素直に修正する態度を持とう。

自説への反証が出たら、間違いなことを認めたうえで、相手の反論も取り込んだ新たな主張を呈示することが大事です。素直に修正する科学的態度は生産性のある議論をもたらしてくれます。

⑽【実存主義】Existentialism
人生を人まかせにしていないか。

私たちは時代も国も自らが選んでこの世に存在しているわけではありません。境遇も遺伝子も自分が選んだものではありません。いわば私たちは、〈この世界に投げ出されている存在〉です。

これをドイツの哲学者**ハイデガー**は〈**被投性**《ひとうせい》〉（*Geworfenheit*）と呼びました。

しかし、自分はこの家に生まれて、このように育てられたから、自分がぐれたのは全部親のせいだという主張があったとき、似たような家庭環境にあっても、違う生き方をした子どももいるわけです。みんながそうなっているわけではなくて、違う選択もできた。

人間は何らかの本質（運命）に支配された存在だと決めつけるのではなく、自分の運命を自分で受け止めて、では自分はどうするかと考えたとき、Aの道、Bの道、Cの道があって、Bを選んだ。その道を選んだのは自分だから、その選択に責任を持つというのが〈**実存主義**〉的な態度です。

自分で自分の進むべき道を選択して、自分をその選択した道へと向かわせる。ハイデガーはこのような在り方を、自分を自分の未来に投げ企てるということから〈**投**《とう》**企**《き》〉（Entwurf）と呼びました。

人間は時間的存在である。死までの限られた時間のなかにあって、自分の道を進むべく決意（**先駆的決意**）することによって、自分で選択して自分の人生を切り開くことができる。そうした覚悟をハイデガーは『**存在と時間**』で説いています。

たとえば大学受験。大学に行くのか行かないのか。進学するならどの大学を受験するのか。失敗したら、浪人するのか、第二志望の大学に行くのか。勇気を持って進路を選びとらなければなりません。

本当は早稲田大学に行きたかったけれど明治大学に入ったという新入生を前に、私は、「残念な気持ちはわかるけれども、今この場で、すっぱりとあきらめて、明治大学の名を高からしめる誇りある生き方をしようじゃないか」と言ったことがあります。

第一志望がダメで第二志望の大学に入学することにした。これはよくあることです。「運命」プラス「選択」を受け入れ、自分はここで頑張るという覚悟を決める。ある種のコンプレックスは推進力になります。

自分の生き方をどうするかを迫られているとき、それを自分で引き受けない人は、時代のせいや人のせいにしがちです。たとえばバブル経済崩壊後、大規模な就職難が社会問題になり、多くの学生が選択を迫られました。しかし、こうしたときに時代のせいにしてしまうと生き方が甘くなります。そんなときに求められるのが、〈**不条理な世界を受け入れたうえで選択していく**〉という実存主義的な態度です。

近ごろの晩婚化、非婚化も、自分の生き方や信条によって結婚するしないを決めるのならいいのですが、運命を引き受けることに対する怖さが根底にあるがために結婚が遅くなったり、結婚をしない選択をしているような気がしてなりません。自分の生活を計算すると、今の生活を維持していくことはできるだろう。比較的快適なのだから、これを維持できるのなら、この生活を崩さない方が安定した未来が描ける。結婚すると、生活を変えなくてはならなくなる。そんな選択をして、不確かな未来に自分を投企するよりも、現状維持の方が安心できるという考え方が優位に立つことで、非婚化、晩婚化が進んでいるとも言えます。

かつてはみんなが貧しかったので、そうしたチャレンジに臆病にならずに済んだわけです。どっちにしろ貧乏なのだから、結婚しても大変なことにさして変わりはない。ですから、結婚して子どもをつくるという価値観が強かったわけです。そういう時代の風が吹いていたわけですが、今は、不確定な要因に身をまかせることを恐れて、「元本割れはちょっとごめんだよ」ということになっています。

見方を変えると、かつては結婚は自らの実存的選択というより、習慣や社会的圧力による影響が強くあったとも言えます。一九七〇年ごろは、五十歳の男性の未婚率は二パーセントほどでした。これは結婚至上主義の社会的圧力を背景としています。しかし、この五十年で、結婚しないという選択肢が社会で認められるようになって選択の幅が広がったために、実存的決断が求められるようになっています。

「われわれは自由の刑に処せられている」というサルトルの言葉もあるように、選択の自由があるなかで、何を最良のものとして選びとるかが求められています。

自分の選択に責任を持って人生を切り開こう。

この仕事に就いてよかった、イヌを飼ってよかった。そういう一つ一つの選択の賭けによって、刺激的な未来が生まれてきます。人間は数ある選択肢から何かを選択しないことには、一歩も前進できない存在です。自分の選択に責任を持って自分の人生を切り開いていくという覚悟を持ちたいものです。

(11)【不条理】l'absurde 理不尽に耐えることに意味はあるのか。

少し昔のことになりますが、「この世界はしょせん不条理だ」というように使うと、〈**不条理**〉は知的で格好のいい言葉でした。不条理とは〈**理に合わない**〉ことです。

お金がもうかっている人が、さらにもうかるというのは不条理な感じがします。お金がない人にお金がまわっていかなければならないのに、現実の世界では、世界でもっとも富裕な八人が、もっとも貧困な三十六億人分と同じ額の資産を所有しているという国際NGOの調査も過去にはあったほどです。

今やマルクス主義はソ連の崩壊を経て人気は落ち目ですが、富裕な八人と貧困な三十六億人が同じ資産という、誰がどう見ても不条理な現実を見ると、マルクスの洞察力を再評価したくなります。資本が資本を生み、とめどなく資本が集中していく。資本の集中についてはマルクスが述べたとおりに進んでいると思わされるデータです。

貧困の連鎖というのも不条理な現実です。経済的に余裕のある家の子どもは教育費をかけてもらって有名大学から一流企業に就職しやすい。塾代などの教育費を出せない家の子は人生において不利な道を歩むことも少なくない。そうした不条理をなくしていく社会をつくろうと頑張って努力してきたにもかかわらずです。

一億総中流といわれた一九七〇年代は、振り返ってみると、奇跡的に不条理の少ない社会でした。中流を増やすことで不条理を減らすことに成功したわけです。

それを崩してしまったのが新自由主義です。リストラが横行し、正規労働者が減り、非正規が増え、中流が没落していくことになったわけです。社会的な格差が広がっていく今、社会は不条理だという思いは、一九七〇年代よりもずっと強い気がします。

アルベール・カミュは『**シーシュポスの神話**』で、〈**不条理の英雄**〉としてシーシュポスを描いています。シーシュポスは神々の怒りを買って、頂上にとどまることのない岩を、転げ落ちても転げ落ちてもなお運び上げつづけるという苦役を科されます。

同じ動作を何度繰り返しても結局は同じ結果にしかならない。カミュはここで、人はみないずれは死んで、すべては水泡に帰すことがわかっているにもかかわらず、それでも生きつづける人間の姿をシーシュポスに仮託しています。運命を受け入れるならば、それはむしろ英雄的な行為であるとして、〈**不条理の英雄**〉を描いたわけです。

『死に至る病』で知られるデンマークの哲学者**セーレン・キルケゴール**と『シーシュ

ポスの神話』の**カミュ**は、不条理という究極のジレンマを解決する方法として、三つの方法を比較検討しています。

一つは〈自殺〉ですが、キルケゴールとカミュはこの方法は非現実的であるとして退けています。

もう一つは〈盲信〉です。不条理を超えた実験的に存在が証明されていないものを信じること。しかしそれには理性を失《な》くす必要があります。

そして三つ目が〈**不条理を受け入れて生きる**〉です。キルケゴールは否定しましたが、カミュはこの方法を推奨しました。

自分のミスではないミスを押しつけられて後始末をしろと言われたとき、なぜ自分がやらなければならないのかと怒りに我を失うというのは、いわば不条理に呑み込まれてしまっている状態です。そんな場合に、誰もやらないのだったら、自分が後始末をしましょうと、自分から進んで言えたなら、不条理の英雄になります。

徳川家康は不条理の英雄中の英雄とも言える人物です。二百六十年の徳川支配体制をつくった日本最高の権力者ですが、竹千代と名乗っていた小さいころから人質であった時代が長かった。織田信長がいて、豊臣秀吉がいるから、なかなか自分の順番がまわってこない。それでも、彼らとやり合ったら危ないことになるのがわかっていたので、家康は秀吉と一戦を交えたこともありましたが、基本的には、秀吉が亡くなるまでは我慢の連続でした。その秀吉にしても、武士ですらない足軽という格差のなかにあって、頂点に登りつめるためにさまざまな不条理を乗り越えてきています。

学生時代は、バイトなら辞めてしまうとか、人間関係に距離を置くなどして、不条理を避けることはできます。しかし、社会人になると、不条理に逆らえないことが格段に増えてきます。「こんな理不尽なことを我慢するぐらいなら辞めてやる」と思いつめてしまう前に、「理不尽なこと」とうまく付き合って、不条理なサラリーマン社会をしたたかに生き抜くことを考えなければ、転職の連鎖になってしまいます。

不条理を受け入れて英雄になろう。

ブラック企業の法令違反は、ここで言う不条理ではありません。これは違法ですから論外です。通常の仕事の範囲であれば、多少の理不尽は迎え撃ちましょう。理不尽や不条理に強くなるのは、ある種の成熟です。〈不条理を受け入れる潔さ〉と〈不条理を生き抜く図太さ〉は人を成長させ、成熟させてくれます。

⑿【間主観性】Intersubjektivität 自分勝手に物事を判断していないか。

〈間主観性《かんしゅかんせい》〉とは「主観性と主観性の間（共同）」という意味です。

主観というのは一人一人の勝手な思いですから個人的なものにとどまると考えられてきましたが、オーストリア出身の哲学者**エトムント・フッサール**は、たくさんの人が同じように考えるようになると、**〈間主観的〉〈共同主観的〉**となって、**〈客観性〉**に近づいていくと唱えました。

たとえば二人の友人が将来について語る。理想や希望などについて相手に話していく。これが繰り返されるなかで、二人はそれぞれの主観性を認識し、自分の主観性と相手の主観性が徐々に「二人が共有する二人の未来像」という共有された主観に至る。これが間主観性ということです。そもそも客観的なものがあって、私たちは一人一人がそれを主観的にとらえるのではなく、誰もが自分勝手に思い描いた主観的な世界観を持っていて、その主観と主観が出会い、混じり合うことによって、共通のものが形成されるのです。主観に先立って客観世界があると考えずに、互いの主観をぶつけて、そこから共通に抱くことのできる客観的（間主観的）な世界を模索しようというのが、フッサールが唱えた現象学の考え方です。

現象学の考え方は、ひらたく言えば、〈**決めつけをやめよう**〉ということです。現象学では、決めつけをまずやめるところからはじめることを〈**エポケー**〉（Epoché）と言います。エポケーとは「カッコに入れる」「判断を保留する」「判断を停止する」という意味です。リンゴは赤いという、予断や先入観（先入見）をいったんポケットに入れて、対象をよく見てみよう。すると、赤いとはいっても真っ赤ではないし、そもそも赤くないリンゴだってあるというように見えてきます。

日本も最近は物騒になったと言われますが、情報を鵜呑みにせずに警察庁のデータを検索してみると、殺人事件の件数はかなり減っていることがわかります。マスコミが凶悪事件を中心に報道するため物騒な世の中になったと思い込んでしまうわけです。

判断にはこのように予断が伴うことを認め、思い込みを一回カッコに入れて現象をよく見て、予断にもとづいた自分の判断を反省しようというのが現象学の考え方です。

画家のモネは後半生はスイレンばかり描いていました。そんなにスイレンを描いて何が面白いのかと思いますが、水の状態や光の加減によって千変万化するので、スイレンの花は瞬時瞬時に、劇的に「姿」を変えます。ですから一生描いていても飽きなかったわけです。スイレンという「物」を描いているのではなく、そのときどきのスイレンの在り方を描く。このように現象のリアリティを記述するのが現象学的なやり方だと、フランスの哲学者**メルロ＝ポンティ**は『**知覚の現象学**』で言っています。『機動戦士ガンダム』の監督の富野由悠季《よしゆき》さんと対談したとき、アニメーターになりたいという若い人がたくさんいるけれども、アニメを見てアニメーターになりたいと思っているから、リアリティがない絵を描いてしまう。リアリティと身体感覚が必要なのに、アニメだけを見てアニメを描いてしまうのはよくないと話しておられました。

その点、宮崎駿さんのアニメは対照的です。たとえば長いスカートの女性が座るシーン。一定以上の技量のアニメーターであればなんとなく描けてしまうのに、スタジオジブリのあるアニメーターは、自分の奥さんに長いスカートをはいてもらって何度も座ったり立ったりしてもらい、スカートの裾がどのように翻《ひるがえ》ったりするかを観察して、ようやく描くことができたそうです。宮崎アニメはそんなふうにやっているので、アニメだけれども、身体感覚が生きた、リアリティのある表現になっているわけです。

こういうものだろうと思い込みで描いていないがゆえのリアリティがあるわけですが、それとは反対の在り方をステレオタイプ（ステロタイプ）と言います。そうした画一的なとらえ方、表現を乗り越えていくのが芸術的なものであるわけです。

テレビ番組で一緒になった又吉直樹さんがこんなことを言っていました。「関西人だから全員がボケとツッコミというふうに思われると困る。関西人だからみんな明るいと思われるのも困る。自分は大阪出身だけど全然明るくないので……」。たしかに、大阪人というと明るいと決めつけがちです。

ちょっとしたことにも先入観（先入見）は入り込んでいます。それに気づいて「あぁ、これは決めつけかも。一人ひとり、一つひとつをていねいに見てみよう」と思い直す習慣を身につければ、エポケーが技になってきたということです。

思い込みをいったんポケットに入れてみよう。

思い込み、先入観から脱け出せるのが「考える力」があるということ。「男というものは…」などと一般論にしてしまうと、思考は進まない。私たちはいったん「これはこういうものだ」と思ってしまうと、その観念からなかなか抜け出せません。新たな発想やアイデアを生み出すには、一般論をいったんカッコに入れて決めつけないことです。

⒀【エス／自我／超自我】 *Es / Ego / Superego*

自分を野放図にしたり抑えすぎたりしていないか。

オーストリア生まれの精神医学者**ジークムント・フロイト**は、人間の精神の根本に〈**エス**〉（イド）と呼ばれる無意識の領域があると考えました。

エスとは、異性を求めて突き動かされるような力を指し、感情、欲求、衝動など、何が悪いかなどは一切考えずに、「これがしたい」「母親を独り占めしたい」といった欲求を丸出しにして満足を求める、いわば動物的本能です。赤ん坊は、エスだけに突き動かされて生きていると言われています。

しかし、動物的本能をむき出しにしたのでは、まともな社会生活を送れません。

そこで人は暴走してしまわないように、家族や学校、社会など、外部に触れる機会が増えるにしたがって、エスだけではうまくいかないことを学びます。

親から叱られたり、しつけられたりすることで、行動の善し悪し、ルール、道徳観、倫理観、自己規制などを学び、「これをやったら他人に迷惑がかかるからやってはいけない」と自分で判断できるようになります。

このように「○○をしなければいけない」「○○をすべき」と自分をコントロールするのが〈**超自我**《スーパーエゴ》〉です。

そして、エスのやりたい放題の欲動と道徳的・社会的に抑えつける超自我の力がせめぎ合う領域で調整をするのが〈**自我**《エゴ》〉です。

フロイトは、人間の精神はエスと超自我が綱引きをしているようなもので、両方から引っ張られて綱が切れてしまわないようにバランスをとっているのが〈自我《エゴ》〉だと考えたわけです。

エスと超自我がうまくバランスがとれている状態であれば、精神的に安定します。ところが、超自我が強すぎて、「自分は○○すべき」という意識ばかり持っていると、自分を見失って、心に傷を負ったり、衝動的に爆発したりする恐れがあります。反対に超自我が弱くなると、欲動が強くなって自分をコントロールできなくなってしまいます。

かといって、欲動があまりにも抑圧されてしまうと具合が悪くなってきますし、野放図にしてコントロールしないでいると、これまた問題が起きてきます。野放図すぎて犯罪をおかしてしまったり、こうしなければならないという抑圧がひどすぎて、自分の人生を生き生きと生きられないということも起きてきます。

昔は家長である父親の絶対的な言葉には権威があって、その権威が自分の中に住み込むことによって、こんなことをしていたら親に怒られるという意識が植えつけられ、それが自分をコントロールしていました。

ところが、これをしてはだめ、あれをしてはだめと親の支配を受けつづけて、成人してからも親の呪縛から逃れられないという例もあります。

こういう例は今、増えつつあります。なぜ増えているのか。一つには、成熟が遅れてきている（大人なのに大人になり切れていない）ために家を出なくなってしまったことがあります。

進学や就職や結婚のために親元を離れれば、自然に親から離れられます。しかし、親が子どもにかまいつづけ、同居しつづけていると、親の影響が浸透しすぎて動きがとれなくなりがちです。

親の影響が強すぎると、子どもの人生が親の言うとおりになって、親の都合で動くようになったままで人生のサイクルが終わってしまうことも現実に起こりえます。

「友だち親子」のように、親が子どもにあまりうるさく言わない家庭も増えています。かつての親のように、壁となって立ちはだかることが少なくなって、フロイトが言う超自我の役割から親が逃げ出してしまっているケースです。「○○するな」「○○すべき」という圧力をかけずに自由にのびのびやらせると、その後、活力ある自己管理のできる大人になっていくという、一種の性善説で子育てがおこなわれる家もあります。

しかし、本能的欲望に超自我が適度に制限をかけることで自我が安定するわけですから、自由放任にしておけばうまく育つと考えるのはリスクがあります。

次項でとりあげるように、フロイトは、〈快感原則〉から〈現実原則〉へと移行することが成熟だと考えました。

たしかに自分にとって快感のあるものだけに囲まれて生きているのは、子どもっぽい生き方です。現実を受け止め、現実の課題に対処していく。これが成熟した生き方と言えます。

現実から目をそむけて自分をごまかさない。

脆《もろ》い、すぐキレる、自己管理ができないのは、成熟していない在り方です。
それは主として、他者や社会によって「もまれた」経験が少ないためです。
つまり気持ちのいいことしかしなかったためです。自分をごまかさないで、
現実を受け入れなければ成長しません。

(14)【快感原則／現実原則】Lustprinzip / Realitätsprinzip

欲望のなすがままに生きていないか。

前項でふれた〈**快感原則から現実原則へ**〉という成熟のプロセスを、本項でもう少し詳しく述べたいと思います。幼児の世界は基本的には「快／不快」「好き／嫌い」で成り立っています。気持ちのいいことを望んで、それが満たされないと、駄々をこねたり、泣いたりする。**フロイト**はこれを〈**快感原則**〉と呼びました。

快感原則はとにかく欲求が満たされればうれしいというものですが、自分にとって気持ちのいいこと、都合のいいことだけを追求したのでは、世の中に通用しません。求めたもののすべてが手に入るわけではないし、我慢しなければいけないこともあります。自分を現実に合わせることを知り、それを覚えていく必要があります。そのときに快感原則を押し通そうとすると、現実に対する認識をゆがめることになります。

そこでふつうは、快感原則で動いていた子どもが、大人になるにつれて、社会的な自我ができてきて、現実感覚でものごとを見るようになります。これをフロイトは

〈現実原則〉と呼びました。現実を認識して行動すること、つまり快感原則から現実原則に移行することが**〈成長〉**〈**成熟**〉につながります。快感原則だけで生きることから現実原則にのっとって生きることに移行していくことは、大人になることなわけです。

社会生活を営むには、現実に適応しないといけませんが、現実原則への移行ができずにいつまでも快感原則だけで生きようとする人は、簡単に言うとわがままですから、さまざまな面で困難に直面することになります。

社会人になるというのは、快感原則から現実原則に移るときでもあります。学生は、部活やサークルも好きに選べますし、自分の時間もある程度自由にできますが、会社に入って仕事に就くと、自分がやりたいことや自分の欲望に従ってやることができなくなります。現実に合わせて、どうすべきかを考えて行動しなければならないので、どうしても苦しさが出てきます。

会社に入って苦しいなと思った瞬間というのは、快感原則で生きてきた自分が、現実原則によって大人として生きなければいけない自分になろうとして、今苦しんでいるのだなと理解していただくといいと思います。もちろん、会社に合わせて自分を抑圧しすぎると無理がきますが、やりたいことを会社で自己実現しようと思うと、簡単にはいきません。そんなとき、会社は自己実現する快感原則の組織ではなく、現実原則の場所だから仕方ないと納得すると、心が落ち着くと思います。

現代社会は消費者（サービスを受ける側）の快感原則を満足させるようにできています。欲しいと思って注文すれば当日配達されるネット通販、すぐに食べられるファストフード、二十四時間開いているコンビニ……。快感原則に応えるための仕掛けがさまざまに具わっているのが現代社会です。ですから「欲しいとなったら、借金をしてでも手に入れる」「気に食わないとなったら、口もきかない」「不愉快だと思うと、すぐにキレる」という快感原則で生きる人が増えてしまうのです。その分、サービスする側はきつくなります。社会の中でサービスする側とサービスを受ける側の差が激しくなってきているように思います。サービスが加速して、みんなが高度なサービスを欲するようになった現代においては、サービスする側がパンクしてしまわないようにシステムを変えていくことも必要です。

個人の成長という観点でいえば、快感原則から現実原則に移行しようとするとき、「○○したい」「○○が欲しい」という〈欲望〉と、「○○すべき」「○○してはならない」という〈抑制〉とのあいだに葛藤が起こり、それを乗り越えていくことで〈成長〉〈成熟〉がもたらされます。「ずっとサービスを受ける側だけにいたい」と思っているのでは、子どもっぽい快感原則にひたったままです。

欲しいものがあるから手に入れたいという快感原則に対して、それにはお金であったり交渉が必要だから、まずはそれをクリアしたうえで欲求を充足させようと考えるのが現実原則。どちらに偏りすぎても、自分や周囲に悪影響をおよぼします。

快感原則が強すぎると、まわりのことを考えない、わがままで自分勝手な人になりますし、現実原則があまりに強すぎると、自分を抑えてストレスを溜めやすい人になってしまいます。〈快感原則〉と〈現実原則〉は相反するので葛藤が生じますが、この二つのバランスをうまくとっている人が「健全な人」です。

現実から逃げずに向き合う。

人間は生まれつき、快を求め、不快を避けようとする快感原則を本能的欲求として持っています。しかし、現実社会で生きていくには、現実に順応する姿勢を身につける必要があります。現実と向き合い、自分にとって不快に感じられることにも順応していこうと努力することによって、人は成長し、より大きな快感を得られるようになるのです。

(15)【中庸】Mesotēs
臆病と無謀……両極端に傾いていないか。

〈中庸《メソテース》〉は、古代ギリシャの哲学者**アリストテレス**の『**ニコマコス倫理学**』という著書に出てくる言葉です。アリストテレスは人間が幸福に暮らすためには倫理的な徳を身につけるべきだと説きます。それには、知恵・知識・思慮・技術を身につけるだけでは不十分で、〈**中庸をとる習慣を身につける**〉ことが重要だと言っています。

アリストテレスは説いています。快楽のゆえに悪い行為をおこなうこともあるし、苦痛のゆえによき行為を避けることもある。快楽と苦痛に対してよく対処する人はよき人となり、悪く対処する人は悪しき人となるだろう。これは快楽を避けよ、ということではない。快楽を慎まない人が放埒《ほうらつ》となるのと同じように、快楽を避ける人は無感覚な人となるからだ。過超、不足を避け、中庸を得るように行為することによって、はじめて節制や勇敢といった徳も保たれるのだ……。

たとえば勇気を考えた場合、思慮することなく、やみくもに突き進むと無謀になってしまいますし、怖がってばかりいると臆病になります。その中間あたりが適切な勇気になります。これが中庸ということで、「ほどよい状態」のことです。

未熟な人はどうしても両極端に傾いてしまうものです。ですから、極端にある方と極端にない方を考えて、だいたいこのあたりがいいという、中庸を選ぶ生き方、その思考習慣を身につけることは大切です。卑下にも自慢にも傾きすぎないで、その中庸である誠実を身につける。追従《ついしょう》にも無愛想にも傾きすぎないで、その中庸である好意を身につける。こうできるようになれば、ずっと快適な生き方ができるはずです。

古代ギリシャ語のメソテースに中庸という訳語を当てたのは、儒教の祖である孔子が「中庸の徳たるや、それ至れるかな。民鮮《たみすく》なきこと久し」（中庸の徳はいかにも最上だね。しかし民の間に中庸がおこなわれなくなって久しい〔嘆かわしいことだ〕）と、過不足のない中庸の態度を保つことを説いたことによります。

『論語』は政治、学問、人間の欲望、日々の生活など多岐にわたりますが、一貫して背景にある価値観が「中庸」です。中庸とは「過不足なく極端に走らない」バランスのよさのことです。有名な「故《ふる》きを温《たず》ねて、新しきを知る」はその代表例ですし、人間関係でも「適度な距離感が大切」と書かれています。

松下幸之助は、気持ちの持ち方をとても大切にしていて、幸之助の言葉だと、私は素直に受け入れたくなります。極端なことを言わない幸之助の言葉は、『論語』でいう中庸に当たり、とても安定しています。日本人が世界で成功していく、あるいは会社で成功していくというのはどういうことなのかがよくわかります。

英語では中庸を〈ゴールデン・ミーン〉（Golden mean）と言います。自信がありすぎると過信になって失敗する。自信がまったくないと、これはこれで困る。そうなると、その間ぐらいに〈黄金の真ん中〉があるということを意味する言葉です。

中庸をとる習慣を身につけるには、まずは両極端を体験し、そこから中庸を求めていくという作業もいいと思います。**〈両極を知って中庸に至る〉**です。

たとえばパンフレットの印刷の色を決めるとき、あえて極端な二色を配色してみる。いずれも極端すぎて不適当なのですが、そこから配色を少しずつ変えていって、ちょうどよい色を見つける。あるいは文字の大きさを決めるときに、小さい文字と大きい文字を試してみる。どちらもそぐわないけれど、でも正解があるはずだということでやっていくと、必ずこれぞという落としどころが見つかるというぐあいです。

社会という単位で中庸を考えることもできます。きちんとしていてこまかい人と、大ざっぱだけどどんどんやる人がいるとすると、両極端を見ることで、そこから中庸が見えてくる。あるいは、独裁政治と衆愚政治の中庸の政治スタイルを考えるというぐあいです。

自分ではそうは思っていなくても、人の考えは一方に偏りがちなので、逆のことを一度考えてみる思考のクセをつけるといいと思います。このクセはビジネスにも大いに生かせます。たとえば、目の前の「短期」の仕事に頭がいきすぎているのではないかと考えることで、「長期」に目を向けてみることができるようになります。

やみくもなまでの自己肯定力をパワーにしている人がいます。一方では正確な自己客観視を武器にしている人もいます。この二つの力をバランスよく〈合力《ごうりき》〉して生かす道もあります。〈合力〉もまた中庸の道です。

逆のことを一度考えてみるクセをつける。

逆を考えるクセは定着しにくいので、広く人の意見を聞いて、白か黒かで判断しないと決めておくだけでも間違いを防げます。世の中はスペクトラム〈連続〉でできているので、白黒ではなくグレーで判断するのが正解なのです。個人でも、極端な自己否定や自己肯定ではなく、〈現実を見据えた自己肯定〉という中庸に至ることが大切です。

⒃【イデア】Idea 目や耳にするものを本質と思っていないか。

古代ギリシャの哲学者**プラトン**は、真理を追究する過程で、〈**イデア**〉という概念を持ちだしています。もともとはものの「姿」「形」を意味しますが、プラトンはイデアを、目には見えなくても、魂の目、心の目で見ることのできる〈ものごとの真の姿〉〈ものの本質〉ととらえています。

たとえば「三角形を描け」と言われたら、それぞれ適当な三角形を描きます。どれ一つとして同じものはないのに、三本の直線で描かれた閉じた図形を見れば、誰でも三角形だとわかります。それぞれバラバラに見えるけれども、見た人全員が間違いなくそれらを三角形だと認識できる。つまり、私たちは三角形という概念（＝イデア）を知っているから、三角形だと認識できる図を描くことが可能なのです。

あるいは、ちょっといびつな円を見ただけで、完全な円を思い描くことができます。私たちはイデア界を見たことはありませんが、完全な円というのはある。けれども、手描きでは完全な円は描きづらい。

私たちの頭の中には、三角形や円のイデアが存在している。図形にかぎらず、「究極の理想の美」「究極の理想の善」「究極の理想の正義」もあることになります。この世で起こっていることはすべてイデアが映し出した影を見ているにすぎず、実在のものを超えたところに永遠不変の真の実在があるとプラトンは考えたわけです。

プラトンはそのことを「洞窟の比喩」を用いて説明しました。人間は洞窟の中で奥の方を向いて縛られている囚人のようなもので、洞窟の入り口では火がたかれていて、何かが火の前を通るとき、そのものの影が洞窟の壁に映ります。洞窟の奥を向いている人間が見ることができるのは、壁に映った影だけで、本物を見ることはできません。

洞窟の中にいたのでは、本物、つまりイデア界を知ることはできないので、洞窟を出る必要があります。そして、理性を用いて、ものごとの真の姿やものの本質を知ろうと努めることが求められます。

イデア論の面白いところは、現実の世界にとらわれるのではなく、究極の世界をめざそうと働きかけている点にあります。たとえば、美の世界にもイデア界があると考えると、多くの画家は美のイデアを追求し、それぞれが美のイデア的世界に到達しています。

ミロのビーナスは、今の人でも誰もが、そのプロポーションを美しいと感じますが、たぶんこれも、古代ギリシャの人たちが、これこそが美だろうという共通のものを何か持っていて、それを具現化したからだと思います。

セザンヌのサント・ヴィクトワール山の絵からは、山の持つ圧倒的な存在感が伝わってきます。モネの光を表現した絵からは、モネにとって光の世界こそがイデア的だったにちがいないと思わされます。ルノワールにとっては、女性の光り輝く肌がイデアだったのでしょう。あるいは観阿弥・世阿弥の能、千利休の茶の湯、松尾芭蕉の俳句にも、それぞれイデア的世界を感じます。

ただ、プラトンのイデア論は、のちの哲学者たちによって批判されることになります。プラトンの弟子のアリストテレスは、ものごとの本質は理想の世界にあるのではなく、現実の世界にあると主張しました。ラファエロの名画『アテネの学堂』では、天上を指さすプラトンに対して、アリストテレスは地上に手のひらを向けています。

ニーチェは、天上界のような価値を認めると、人間の価値なるものが奪われてしまう、と批判しました。神のように、価値のあるものは人間界ではないところにあるという考え方は人間を卑屈にするとして、その価値を地上の人間に取り戻そうとしたのがニーチェです。

しかしイデアを概念として使うのは便利です。たとえば人間らしく生きようと言ったときに、人間らしいというものをなんとなくイデアとしてみんなが理解しているから、イメージできる。誠実に生きようとか真心を持とうと言ったときに、究極の真心みたいなものをみんながなんとなくイメージできるから理解できるわけです。

器量が大きいというと、日本では西郷隆盛を思い浮かべる人が多いと思います。腹ができた人というと、みな西郷隆盛のイメージを共有していて、「そうそう、いるいる」となる。西郷さんは「器量のイデア界」に昇格した人物と言えます。マザー・テレサは「清廉潔白のイデア界」に昇格した。聖徳太子は「聡明のイデア界」に昇格した。そんなふうに先覚者《メンター》をとらえると、私たちがめざすべきところが見えてきます。

ものを見る目を養おう。

美や正義や善といったものに理想を持ち、そこに向かって歩むことはけっして悪いことではありません。すぐれた絵画や音楽などの芸術に触れて、そこにイデア的美の世界を味わうという楽しみもあります。さらに、イデア論を考えることは、ものを見る目を養い、理想を求める姿勢を持つことにもつながります。

(17)【理念型】*Idealtypus*
現実がわかったつもりになっていないか。

ドイツの社会学者**マックス・ウェーバー**は、「社会はどうしたら認識できるか」という観点から、**〈理念型《イデアルティプス》〉**（理想型）という考え方を唱えました。この現実には純粋な一〇〇パーセントのものはないが、仮に純度一〇〇パーセントの理念型を設定しておくと、それとの距離で現実を測ることができるという考え方です。

歴史や社会構造はそのままだと複雑すぎて、さまざまな要素が絡み合って本質をとらえるのがなかなかむずかしいので、**〈理念型を考えることによって、現実を見やすくしよう〉**と提唱したわけです。

自然現象は実験によって実証できるという側面がありますが、社会現象は実験によってとらえることがむずかしい。実験できないとなると、定点をつくってそこからの距離で測ろうという発想が出てきます。理念型という定点を設けて、そこから説明をしてみたら、実際にはどうなのかが見えてくるというものです。

光の三原色（赤、青、緑）を定点と考えるとわかりやすいかもしれません。三原色の割合で現実のさまざまな色をとらえる。同じ紫色でも、この紫は赤五〇、青五〇だが、赤七〇で青三〇の紫色もあるというように説明ができるようになります。

こうした考え方を社会現象に当てはめ、仮に完全な理念型があったときに、その現象がどのくらいになるのか当たりをつけてみようと試みたのがウェーバーです。

たとえば「支配」。支配とは簡単に言えば「人に言うことを聞かせる」ことですが、ウェーバーは支配者の命令の正当性の根拠が何であるかによって、三つの純粋型（理念型）に切り分けました。①伝統的支配＝伝統的な権威によって支配するパターン。②正統的支配（合理的支配）＝法的な根拠にもとづいて支配するパターン。③カリスマ的支配＝超人的な魅力や力があると思われることによって支配するパターン。

たとえばヒトラーによる支配を考えたとき、①ゲルマン民族（アーリア人種）の優位性という伝統的な考え方に立って、②法改正をして法的な正統性をもって議会を支配（掌握）し、③カリスマ的人気を醸成したというように当たりをつけると、理解しやすくなります。ヒトラーの支配は「③が五〇パーセント超ではないか」などと、三つの理念型がどのくらいの割合で混じっているのかを考えることで、ヒトラーの支配の構造が見えてきます。わかりにくいことを純度の高い類型（理念型）で考えてみようというのがウェーバーの概念です。

日本人の顔つきは「縄文顔」と「弥生顔」に分けられるとされています。現在の日本人は、純粋な弥生系や純粋な縄文系は少なく、両者の混血が多数を占めるそうです。このように混ざってはいますが、たとえば一重まぶたで、耳あかが乾いていて、唇を動かさずにウインクができないから、どちらかといえば弥生人っぽいなどと分けることができます。日本人は単一だと思いがちですが、遺伝子的に非常に多様な民族です。ですから、縄文人、弥生人というように類型化するのは粗雑なように思えますが、たんに日本人と言っているよりは、縄文人と弥生人に切り分ける（分節化する）方が理解が深まります。

〈分節化〉をふだんの思考にも生かすことが大事です。ビジネスの世界では顧客の性格・行動パターンの類型化にもとづく提案などがおこなわれています。一人一人の顧客の性格や行動のパターンを把握することは大事なことですが、これは大変なことです。そこで、お金はあるけれどけっこう慎重派、お金があってけっこう勝負をかける派、お金がなくて慎重派など、ＡＢＣの三つのタイプに分けてみると、この顧客は完全なＡタイプではないかもしれないけれど、どちらかというとＡタイプに近いなどと、曖昧模糊《あいまいもこ》としていた顧客の実体が見えてきて、よりよい提案ができるようになります。

野球で一本足打法をめざす場合、たとえば、王貞治さんの一本足打法を理想型として設定する。サッカーでいえば、メッシのドリブルを神業に近い純度一〇〇パーセントの理想型と設定する。体操でいえば、史上最高の選手と呼ばれた内村航平選手の演技を美しさの理想型とする。そのように設定すると、イメージがはっきりします。一〇〇パーセントの理想型をめざすのか、二〇パーセントをめざすのかは、自由です。いずれせよ、チャレンジの目標が明確になります。

会社でいえば、理念が漠然としていたのでは、戦略や戦術が見えてきません。社会に貢献することと社員の幸福を両立させることが会社の理念として掲げられたとしたら、そこから見て、現状では何が足りないのか、何をすべきなのかがつかめるようになります。

理念型を設定することで、現実が把握しやすくなる。

世の中を把握するのに理念型・理想型というのは便利な概念です。曖昧模糊としてモヤモヤしているものをつかむときに、とりあえず理念型を仮置きしてみると、漠然としていたときには見えなかった現実が見えてきて、なすべき方向性を見いだせるようになります。

(18)【超人】Übermensch
ちっぽけな人間になっていないか。

学生に**ニーチェ**で替え歌を作るようにと言ったら、「一人を超えていけ、人間を超えていけ……」と、テレビドラマ『逃げるは恥だが役に立つ』の主題歌「恋」風に作ってきた学生がいて、みんなで笑ったことがありました。ニーチェは〈**人間を超えていくもの**〉として、〈**超人**《ユーバーメンシュ》〉という概念を提唱しました。ニーチェの影響を受けたバーナード・ショーが『人と超人』という戯曲を書いたとき、超人を「スーパーマン」と表記したため、それが広まって超人＝スーパーマンになっていったのですが、ニーチェの言う超人は、人並み外れた能力を持つスーパーマンのイメージとは異なります。人間的な卑小さを〈**乗り超えようと学び、努力している人**〉のことです。

ニーチェは「神は死んだ」としてキリスト教を批判しました。本来人間の価値であるもの、たとえば善も勇気も美も、すべて神が持っていってしまったとなると、人間は卑小でくだらない存在でしかない。神の世界、天上の世界が素晴らしいとなると、人間がみすぼらしくなってしまう。しかし、地上に生きるわれわれはそんなみすぼらしい存在ではないはずだ。人間には「さらなる高みがあるのではないか」と考えたニーチェは、すべてを神という存在にゆだねる生き方を批判しました。人間というものに自信を持ちづらい状況から、人間の手にその価値を取り戻そうと主張したわけです。

人間は嫉妬深いので、他人の成功を目の当たりにすると、すぐに自分に失望したり絶望したりする。恨みや怨恨（ルサンチマン）をすぐに抱いてしまう。それは人間にとってどうしようもないことだからと、自分自身の精神の弱さを安易に認めてしまったり、神にゆだねたりするのではなく、〈**自分自身で少しずつでもいいから乗り超えていく**〉。そんな精神性こそが、人間には本当に必要なものだと考えたのです。「何かものすごいものがほかにあるから、それにくらべたら、自分など大したことがない」と卑下するような、謙虚さの仮面をかぶった傲慢さを捨て、〈**自分の価値は自分自身でつくる**〉という自立した覚悟を持つことが、ニーチェにとって「超人的態度」だったのです。サッカーのカズ（三浦知良）選手は、年齢による衰えと闘いながら、五十代の今でも現役で活躍しています。

聖路加国際病院名誉院長だった日野原重明さんは、亡くなった百五歳のときでも、やりたいことがたくさんあって、数年先までスケジュールが埋まっていたと聞きます。

生前の元気で楽しそうな先生の姿を見ていると、ニーチェの言う「少なくとも一回は踊らない日は、失われた日だ」を思い出します。この生きている世界をもっと楽しんでいいのではないかという問いかけです。

〈自分の価値を認めて、自分の目標をこなしている人こそ、超人的な生き方をしている人〉です。しょせん自分なんてこんなものだとあきらめてしまったり、長い物には巻かれろ式になってしまうと、そこで成長が止まってしまいます。もう五十を過ぎたし、まあこんなものかとあきらめてしまう人がいる一方で、「いや、ここからだ、新しい仕事を、新しい趣味を」と、第二の人生をスタートする人もいます。

ニーチェは「精神の三段の変化」（「駱駝《らくだ》」「獅子《しし》」「幼子《おさなご》」）を唱えました。駱駝とは、義務を背負う者、獅子とは「〜すべき」に否《いな》と言い、自由を獲得する者、幼子とは、遊ぶように生き、新しい価値を生み出す創造的な者の象徴です。いかにして人が超人に目覚めていく（人間的なるものを乗り超えていく）かを表したものです。

駱駝の時期には現状に義務を負い、獅子の時期には自立し、やがて子どもの時期には、ひがみや恨みなどから解き放たれて、新しい価値を生み出す。人生を遊び、楽しんでいることが価値を生み出すというイメージがニーチェにはあるのです。

ニーチェは〈生あるものはみんな力への意志にあふれている〉と考えます。植物にも生への意志があります。コンクリートの割れ目から芽を出して成長していく。そんな姿に力への意志を感じます。だとすれば、人間だってもっと生きる意志、生への意志をかき立てて、明るく生きようじゃないかという思いにかられます。

ニーチェは〈**永遠回帰**〉（永劫《えいごう》回帰）を受け入れることができる存在を超人と呼びます。指輪にはダイヤが付いていて輝いている部分もあれば、サビついて汚れている部分もある。人生もこれと同じで、輝くときもあれば、最悪の時期もある。人生にはよいこともあれば、よくないこともあるが、マイナスにばかり目をやると生きていけない。いやなことも引き連れて「自分の人生を全部肯定せよ」と言っています。

「これが〝生きる〟ということだったのか、ならばよし、もう一度」が合い言葉です。

自分の価値を肯定して努力しよう。

人生は同じことの繰り返しです。これはしんどいことですが、受け入れるよりほかはありません。人生を自由に力強く生きていけるかは、いやなことも引き連れて、自分の人生を全部肯定して、「よし、もう一度」と思えるかどうかにかかっています。

(19)【身体知】頭でっかちになって動きが遅くなっていないか。

私の年代の男子が熱狂した映画『燃えよドラゴン』。主演のブルース・リーのセリフ「**考えるな。感じろ！**」(Don't think. Feel!) は、ブルース・リーのファンのみならず、多くの人が知っている言葉です。このセリフにはつづきがあって、「それは月を示す指と似たようなものだ。指に気をとられていると、その先の栄光を得られないぞ」となっています。突き立てた指先にばかり目を向けていたら、その先にある輝かしい月の存在に気づくことはないだろう、という意味です。

格闘技にかぎりませんが、スポーツでは、相手が攻撃を仕掛けてきたとき、頭で考えてからよけているようでは、とても間に合いません。攻撃するときも、相手のスキができるのは一瞬ですから、考えてから技を出したのでは有効打になりません。スポーツをやっているとわかるのですが、一瞬考える間があったために失敗してしまった、余裕があったために失敗してしまったというのは、よくあることです。

〈考えるな！〉と言っているのは、考えすぎて動きが遅くなり、それが致命傷になることを言っています。〈**感じたら動け**〉。感じることと動くことのあいだにズレがないようにしようということです。

テニスコーチのティモシー・ガルウェイは『インナーゲーム』という本で、**インナーゲーム**（心の中の勝負）に勝つことが、アウターゲーム（実際の勝負）に勝つための近道であると説いています。〈**頭で考える自分を黙らせろ**〉。考える自分というのは、お前が今こうしていたからだめだったんだ、こうしなきゃだめだったのに……とずっと文句を言いつづけて、失敗を引きずってしまうから、まずは〈**内なる戦いに勝て**〉ということです。

〈**もっと体の声を聴け**〉。身体は大きな理性であるとニーチェも言っています。身体というのはいろいろわかっているものなのだから、身体の言うことを聞けばうまくいく。〈**身体が教えてくれること、それが身体知**〉です。

〈身体知〉の方が〈頭の知〉より大きいので、身体がもう食べるのはやめておけと言った場合には、食べられないものなのです。この人と付き合うのはやめておけと身体が言っているのに、学歴もあるし収入もいいからと結婚した結果、離婚してしまうこともあるわけで、身体感覚的にだめなものというのは相性が悪いことが多いのです。

人間の「身体」よりも「精神」を尊重する「精神偏重主義」に対して、**メルロ＝ポンティ**は『**知覚の現象学**』で、身体知の重要性を指摘しました。人間の身体を精神ではないからという理由で物質扱いをするべきではない、私たちは世界に身体として住み込んでいる、身体でこの世界を理解している、だから人間の身体には貴重な価値があると主張しました。たとえばテニスプレーヤーだったら、自分のラケットを持つとしっくりする。料理人だったら、自分の庖丁《ほうちょう》を持つとしっくりする。でも人が使っているものだとしっくりこない。それは、使っている道具と一緒に身体知ができている、つまり身体感覚が道具とフィットしているからです。このように、〈**身体知を味方につける**〉ことは大事です。身体知を味方につけた人は、感覚を大事にするので、直観も働くようになります。直観が働くと、世界がすぱっと見えてくるようになります。

　私たちの人生は、直観で運命の分かれ道が決まるという側面があります。この人の言っていることはそのとおりだけど、どこか表情が気に入らない、すっきりしないなと思う人。低姿勢ですり寄ってくるけれど、どこか違和感を感じる人。実際、私に低姿勢で寄ってくる人がいたので、その人の評判を聞いてみたら、ものすごく威張る人だとわかったことがありました。感覚的に違和感を感じる、いわば身体の〈**違和感センサー**〉の発動です。

身体知を磨くには、自分の感覚が何を好むかを知るのが有効です。たとえば、音楽は「考える」よりも「感じる」ものなので、身体感覚、身体知を開くスイッチになります。村上春樹さんの『騎士団長殺し』に、シューベルトの四重奏曲が出てきますが、シューベルトの弦楽四重奏曲の『死と乙女』『ロザムンデ』に、私は二十年来はまっています。何回聴いても、「あっ、来る」というふうに、自分の身体感覚に合っています。聴くたびに自分の感覚を確認する気がします。

今の時代は、たとえばキャッチフレーズを決める、商品名を決める、商品のキャラクターを決めるなど、アイデアを出すときに、センスが問われます。物がいいだけで売れる時代は過ぎました。そんなときに、〈考えるな。感じろ！〉をキーワードにして、身体知、身体感覚を動員することで、よいアイデアが湧いてきます。

判断に迷ったら身体の声を聞こう。

「これは成功するはず」と頭で考えていても、心が決まらないと行動できません。あれこれ考えすぎることで行動が遅れてしまい、チャンスを逃してしまう。判断に迷ったら、身体の声を聞け。そうすれば直観が働くようになり、世界がすぱっと見えてきます。

⑳【自然体】肝心な場面で緊張して失敗していないか。

面接で失敗する人は、硬くなって受け答えが型どおりになり、聞かれたことに的確に答えないで、あらかじめ用意したことをしゃべってしまう。これを〈**硬い身体**〉とすれば、その場でいきなり何かを聞かれても、ぱっと答えられるのが〈**自然体**〉です。自然体とは、リラックスしながらも覚醒している心身の在り方で、身体の重心においても、心や精神の方向性においても、寄りかからない、ゆとりをもった構えです。

この構えができていれば、〈**自分の中心は崩れないで、まわりの状況に対して柔軟かつ当意即妙《とういそくみょう》に対応できます**〉。この自然体は、「自然体で臨む」と言うときの自然体とは異なる、〈**技としての自然体**〉です。自然にしているのが自然体と考えがちですが、武道などで言う自然体は、訓練してつくりあげる特別な状態です。

緊張する場面で緊張するのはふつうのことです。しかし、緊張する場面でも、体全体が柔らかく、かつ自然に動く。**宮本武蔵**は『**五輪書《ごりんのしょ》**』で、この状態を〈**惣体自由《そうたいやわらか》**〉

と呼んでいます。「鍛錬をもって惣体自由なれば、身にても人に勝ち……」と説き、手首は楽にしておけ、狭いところを見ずにもっと大きいところを見るようにと説いています。部分を見る〈見《けん》〉に対して、〈観《かん》〉は〈**全体を見る力**〉です。全体を見渡すことができていると、その人は自然体ができていることになります。

〈自然体〉をつくるポイントは、上半身がリラックスしていて下半身が充実している〈**上虚下実**《じょうきょかじつ》〉です。この状態だと、上半身がリラックスしているので、よけいな力みがありません。

私は甲子園球場での春夏の全国高校野球選手権大会を全試合見ますが、「あっ、このピッチャーは押し出しのフォアボールを与えるな」ということがテレビの画面を通しても、なんとなくわかります。明らかに自然体でなくなっているからです。

スポーツなどのように体を動かす場面では、自力でがんばろうとすれば「力み」が生まれて、かえってうまくいきません。いったん息を大きく吐いて体をリラックスさせ、〈**まかせる**〉気持ちになれれば、うまくいくようになります。〈**力を出すためには無駄な力を抜く必要があります**〉。

ほとんどの人は自然体を練習したことがないと思います。自然体という技が多くの人に身についていないのは、このような心身の在り方を自転車に乗る技術と同じように技として認知してこなかったためです。自然体は訓練でできあがるものですから、修羅場を多くくぐると、だんだん身についてきます。たとえばテニスで「あっ、速い球が来る」と言っていると、ますます球が速く見えてしまいます。私は速い球でも遅く見えるように、呼吸をゆるやかにすることで、球を遅く見る訓練をしていました。

テレビ番組の『踊る！　さんま御殿‼』に出演したとき、明石家さんまさんから突然、ノストラダムスの大予言的に人類最後の日になったら何をしますかと振られて、エネルギーを全部集めて爆発します、みたいなことを言ったら、「元気玉でんな」と、さんまさんが見事に返してくれたことがありました。考える時間はものの〇・五秒ぐらいしかありません。

私はお笑い番組を見ているときでも、自分があんなふうに振られたら、とっさに答えられるかなという気持ちでいつも番組を見ています。その点、一流の芸人さんのレスポンスはすごいと思います。ふつうなら急に振られて修羅場で思わず息を呑んでしまうのに、彼らはフーッと息を吐いてリラックスするコツを身につけています。〈**息を吐いて力を抜くことで、心身ともにさっと動けるようになる**〉のです。

「気」の大家《たいか》の野口晴哉《はるちか》さんも「邪気《じゃき》を吐く」ということを言っています。手をみぞおちに突っ込んで上体を前に倒して、はあーっと吐くと、みぞおちが柔らかくなる。

すると気がめぐりやすくなる。これも自然体の作り方です。

宝塚のトップスターにお会いしたとき、「激しい踊りのあと、間をおかずに歌に入りますが、いったいどうやって切り替えているのですか」と聞いたら、「一呼吸することで一気に脈拍を下げる」という答えが返ってきました。

〈**プレッシャーがかかる瞬間・場面は、自然体をつくる絶好の練習機会**〉と前向きにとらえたいものです。自分が苦手な状況になったときこそ、呼吸を楽にして、自然体をつくっていく。現代は状況に素早く反応することが求められますので、〈**即時レスポンス**〉のためには、フーッと息を吐いて、肩甲骨周辺の力を抜いて、ぐるぐるまわすとプレッシャーから解放されます。

無駄な力を抜いて、瞬時の変化に対応できる構えをつくる。

私たちは頭ばかりを使いがちですが、首から上だけにエネルギーが集中すると、下半身の力が抜けて、逆転した不自然なバランス状態になります。これでは身体の自然な可能性を引き出すことはむずかしい。状況の瞬時の変化に柔軟に対応できる〈レスポンス（反応）する身体〉は、コミュニケーション力の基礎にもなります。

(21)【呼吸】相手の呼吸に無関心でいないか。

私は〈**呼吸**〉の研究を二十歳ぐらいからはじめて四十年になりますが、〈**息を合わせる**〉という言葉があるように、〈**人間関係がうまくいくか、いかないかは、呼吸力で決まる**〉と考えています。気の合う友人との会話は〈**阿吽《あうん》の呼吸**〉で、なめらかに言葉を掛け合うことができます。それは間違いなく〈**息が合っている**〉証拠です。

勝海舟は「呼吸《コツ》さえよく呑み込んでおれば、たとえ死生の間に出入りしても、けっして迷うことはない」「この呼吸《コツ》が、いわゆる活《いき》学問で、とても書物や口先の理屈ではわからない」と言っています。「呼吸」と書いて「コツ」と読むところに、当時の呼吸文化の高さが感じられます。海舟にとって呼吸は世の中を生きるコツになっています。昔は、呼吸がわかることとは、ものごとの勘どころやタイミングを知ることでした。海舟が「理屈ではわからない」と言っているのは、変化に即応するには、呼吸がポイントになるということです。ですから、〈息が合わない人〉、つまりタイミングが微妙にずれている人との人間関係では、とくに呼吸を意識することが大切になります。

トランペット奏者のマイルス・デイビスは自伝で、アルトサックスのチャーリー・パーカーとの共演で鍛えられたと言っています。パーカーが天才的な即興をするのについていかなければならない。即興に即応してテンポを合わせるには、パーカーの呼吸を感じとることが必要になる。卓球やテニスのダブルスでも、いいペアは息が合っています。人間関係を餅つきにたとえると、杵《きね》のつき手と餅の返し手が「ハッ」「ハッ」と息を合わせてやるとき、息のタイミングが少しでもズレると、傷つける傷つけられるの関係になってしまい、餅、つまり仕事や議論や相互理解は完成しません。反対に〈**息が合う**〉と一体感が生まれます。綱引きが強いチームは「せーの」という掛け声がうまく、声を出さないときでもつねに互いの呼吸を感じ合っています。

感情は体の上に乗っているので、おだやかなときは息もゆるやかです。気持ちがはずんでいるときは息も軽やかです。気が沈んでいれば、呼吸も浅く弱々しい。ですから、〈**呼吸に注意深くなれば、相手の心の内をおしはかることができる**〉ようになります。一見、怒っていないように見えても、呼吸が荒れたり、押し殺しているようであれば、「爆発寸前だ」とわかって対応ができて、関係をうまく保つことができます。

〈**好かれる人は呼吸の合わせ方を知っています**〉。〈**人間関係があまり上手でない人は、**

相手の呼吸に無関心な人です〉。バラエティ番組で司会者の言葉とバッティングする芸人さんがいます。原因は司会者の呼吸をはかれていないことにあります。司会者は息を吸って言葉を言うので、息を吸った瞬間を見逃さなければ、いま言葉が出るなと察知できて、自分の言葉と重複しないですみます。

武道では、相手が息を吸ったときにスキができるので、そのときに打ち込めと言います。ですから剣道などでは相手に呼吸を悟られないように心がけます。

日本は〈**呼吸文化**〉です。〈**呼吸を整えることが自分を整えることになる**〉。自分を整えておくと、相手に対していつも平常心でいられて機嫌よくいられます。

私は呼吸力を訓練するために、山手線に乗ったときに、駅を出発して次の駅に着くまで息を吐きつづけるという訓練をしたことがあります。当然ながら、次の駅に近づくにつれて、苦しくて暴れだしそうになるくらいです。これはちょっと極端な訓練ですが、高校時代には、授業中に時計を見ながら、一分フーッと吐く、つぎは一分三十秒吐くという訓練をやっていました。いまだに教授会でもフーッとやっています。

呼吸力はいかに息を長く吐きつづけられるかにかかっています。呼吸が深い人は呼吸の浅い人に合わせることができますが、呼吸の浅い人は、集中力がところどころで切れて、自分のペースにならざるをえないので、相手に合わせづらくなります。フーッと長く吐く練習をしておくと、呼吸量がついてきて、相手の呼吸に合わせる余裕ができてきます。小学生を教えていてわかったのは、集中力のある子は息を長く吐くことができます。反対に、ゆっくりフーッと吐こうと思ってもすぐに崩れてしまう子は、気が散りやすいのです。さらには、たとえば周囲が不安にかられているなか、自分一人が呼吸を整えていれば、「落ち着きを失っていない。何かいい手を考えている」と受け止められて、周囲の人を沈静化することができます。私は講義や講演会で「話の流れが滞ってきたな」「場が静かになりすぎているな」と感じたときには、自分の息を入れ替えて、少し弾んだ声を出すようにします。雰囲気や流れを変えるには、自分の息を変えることも必要です。

呼吸を合わせるのがうまい人は多くの人に好かれる。

〈息が合う〉という一体感には他の人とつながっている幸福感があります。一緒にいて疲れない人、落ち着く人は、自然に呼吸が合う人。多くの人に好かれる人は、呼吸を合わせるのがうまい人。呼吸の調節でリーダーシップを発揮できるようにもなります。相手の一言に過剰に反応して、「いやなことを言われた」と落ち込んだりしなくなります。

㉒【型】型どおりではいけないと思っていないか。

〈**型**〉はどんなものにもあります。鉛筆の持ち方にもあります。ところが最近は三人に一人が親指が飛び出すような持ち方をします。鉛筆の持ち方の型は書きやすさを追求した結果できあがったわけで、〈**型は合理的な上達方法**〉です。型という考え方を身につけた人は、上達するためには何が必要かがわかっているのでブレがありません。

しかし型どおりではいけないと思っている人が少なくありません。「型にはまりすぎている」という言い方がありますが、それは型という概念がだめなのではなく、型が古くなって通用しなくなった場合が多いのです。スキーのジャンプ競技で、かつては両方の板を平行にそろえて飛んでいましたが、今はV字に開くのが定型です。型は時代によって進化するので、新しい時代に合った型があるならば、それを身につけると上達が早くなります。「自分流」にこだわっていると上達が遅くなります。

日本の武道や芸道では型を重視して、〈**型から入れ**〉と言います。稽古は型をまねることからはじまります。最初のうちは、なぜその型をやるのか、わからないでやっている。とりあえずは「らしく」見えるだけです。しかし、素直にその型を何度も繰り返し練習できる人は、そのうちに型が身についてきます。型がきちんと身につけば、相手の動きに応じて自分の体が自然に動いていく。そうなってみて、なぜ型が大切なのかがわかります。

十八代目中村勘三郎さんは、劇作家・演出家の野田秀樹さんと組んで斬新な企画を上演し、歌舞伎に新風を吹き込みました。ずっと以前のこと、ラジオ番組で、禅僧で教育者の無着成恭《むちゃくせいきょう》さんが、「型破りというのは型があるからできるんだ。型がないのは型なしと言うんだ」と言っているのを聞いた勘三郎さんは、「あっ、これだ」と思い、歌舞伎の型をまずは大事にしようと、目が開いたというエピソードがあります。

型というのは日本人の得意技です。世界に打って出たとき、日本人は精度が高い。みんなが型を身につけているので、誰に代わっても、そこそこやれるわけです。野球の送りバントは日本人の得意なスモールベースボールの典型で、高校野球では基本中の基本です。送りバントも一つの型で、その型を身につけたバント職人は失敗があまりありません。

型を身につけると失敗しないというのがいいところです。型どおりではだめなんだと言う前に、人に誇れる型を持っているかを考えるべきです。

高校のバスケットボール部を題材にした漫画『SLAM DUNK』（スラムダンク）で、桜木花道が入部したてのころに、シュートの際、左手はボールに添えるだけという型を教わります。そして最終巻で、「左手は添えるだけ」とつぶやきながら決定的なシュートを決めて終わります。最後に頼りになるのは最初に習った基本、型だったわけです。この型はマイケル・ジョーダンなどのバスケットの達人に共通したやり方です。

達人や先人が見いだした型は合理的なものなので、積極的に取り入れるべきです。

二代目の貴乃花親方夫人（当時）の花田景子さんと対談したとき、貴乃花は現役時代はもちろんのこと、のちに親方として弟子を育てる立場になったときでも、とにかく四股《しこ》をやっていますと話していました。入門者も横綱も四股を踏む。四股は相撲の型です。巨体のアメリカン・フットボール選手を連れてくれば、ある程度勝つかもしれませんが、それは相撲とは言えません。四股という型を身につけていないので、相撲取りとは言えないのです。

トヨタはなぜ強いのか。それはムダ・ムリ・ムラを省きつづけるという思考様式が社員に共通の型になっているからです。カンバン方式もそうですが、型があるから不況でもブレない強さが発揮できるのです。型があるというのは日本社会の強みでもあるので、個性を言う前に、使える型をどれだけ身につけているかを考えたいものです。

創造性というのは型の集積によってできています。型を身につけることはじつは感覚を磨くことにもつながります。型どおりにやることで感覚が磨かれ、創造性を発揮できるのです。たとえば空手で、突き手が右に五ミリぐらいずれたなとか、左に五ミリずれたなとわかるのは、型があるからこその感覚です。バスケットの練習で、こぼれた球を拾ってはまたシュートするというように漫然と繰り返していたのでは型は身につきません。かつての日本代表の谷口正朋《まさとも》さんは、名シューターでした。彼は右四十五度からひたすら何百本も毎日打ちつづける練習をしたそうです。そうやって型を身につけたことで、修正能力も発揮できるようになったといいます。

サッカーの名ストライカーだった釜本邦茂さんは、右四十五度からのシュートを徹底的に磨き、絶対の自信を身につけたそうです。**〈型は自信の源〉**になります。

型を身につけて、精神を安定させよう。

型を身につけるまでには時間がかかりますが、あきらめないでやりとげようとする粘り強さが身につきます。粘り強さが身につけば、〈気持ち〉〈気力〉が安定します。落ち着いて自分の気持ちをコントロールすることができます。

㉓【技化／量質転化】上達できないとあきらめていないか。

自転車は、乗れる人と乗れない人の二種類しかいません。なんとなく乗れる、あるいは、ときには乗れるし、ときには乗れないということはありません。乗れるようになるまでにどれくらい失敗したかは、あまり関係がありません。運動神経がいい人は、すぐに乗れてしまいます。運動神経や感覚がよくない人は練習しないと乗れません。けれども、ある日、乗れるようになったあとは、同じように一生乗れます。

これが技のいいところです。器用でない人でも〈**技を身につければ、それは一生もの**〉です。自分は不器用で、センスもないから技など身につかないと決めつけないことです。けん玉もいったん覚えると、三十年ぶりにやっても、やっぱりできてしまいます。小学生のときに一輪車に乗れるようになった世代は、一生、一輪車に乗れます。私は乗れません。一輪車を繰り返し練習する機会に恵まれなかったからです。

つまり、うまくなりたければ〈**質が変化するまで量をこなす**〉必要があるのです。

弁証法（一六二頁を参照）ではこれを**〈量質転化《りょうしつてんか》の法則〉**と言います。**三浦つとむ**さんの**『弁証法はどういう科学か』**には、弁証法の三大要素として、「対立物の相互浸透」「否定の否定」とともに「量質転化」が挙げられています。質が変化する（自転車でいえば乗れるようになる）前に量をこなすのをやめてしまうと、すぐにもとにもどってしまいます。私もかつて武道をしていたので、「量質転化の法則」は実感としてわかります。技をしっかり身につけるには、五〇〇〇回程度の練習では不十分でした。最低でも一万回、できれば二万回以上練習を重ねないと、完全には自分のものにならないというのが私の実感です。

英単語を覚えるのもそうです。単語を覚えるのが技化《わざか》している人は大量に覚えられます。記憶というものにも、じつは技があるのです。中学・高校時代に覚えた単語は、大人になってもさっと出てくる。さっと出てくるというのは技化した証拠です。

技になっていると、なかば無意識でもできてしまいます。たとえば料理のうまい人は、庖丁で野菜を切りながら、次の作業を考えることができます。技化できているからこそ可能な話です。

〈いつやってもできるものが技〉です。偶然できてしまうこともありますが、それは技とはいえません。たとえば目をつぶっていても百発百中でゴミ箱に紙くずを投げ入れることができれば、それは技です。

技とは〈**反復練習によって身についた、いつでも取り出し可能な動き**〉です。また〈**一度できるようになると、それ以降はずっとできる**〉のが技です。

営業先でのあいさつが技になっている人は、意識してあいさつしようとは考えていないので、余裕があります。余裕がある分、さっとフロア全体に目を配って、この部署では今どんな動きがあるのかに気をまわすことができます。

〈**修練**〉→〈**習熟**〉→〈**自動化**〉という流れが技を手に入れる基本です。自動化されることで意識に余裕ができます。無意識にできることが多ければ多いほど、今の意識は新しいことに使えるようになります。

〈**意識の量を増やす**〉のが上達のコツです。一つずつ技にしていくことで、意識できる範囲を広げていくことができます。私は中学時代に技に目覚め、なんでも技にしようと、英語ができるようになる技、歴史ができるようになる技、スポーツができるようになる技を、どうしたら身につけることができるかをつねに考えていました。

この本でとりあげた五十の概念も、知っているだけでは意味がありません。それが技になって使えるかどうかがポイントになります。

次項でとりあげる、〝マネジメントの父〟と称される経営学者のピーター・ドラッカーは、〈顧客満足〉を唱えて、顧客という言葉をはやらせました。顧客満足というのはふつうの大人なら知っていることですが、技として身についているかどうかが問題になります。ある会社は「商品を売る」ことではなく、取引先の「繁盛店をつくる」ことが顧客満足につながることを知って、徹底して繁盛店の仕組みを研究し、積極的に情報提供をしていくように転換したところ、成功したといいます。

今日《こんにち》では学校でも、顧客満足が求められます。教育における顧客は生徒や保護者ですから、生徒や保護者がこれはいい授業だと思えるような授業をしないといけません。そうした観点に立って、技化をめざして**〈技を鍛える〉**ことが、教師としての構えをつくることにつながる効果があるのです。

上達するぞ！　という意識を持って技化に取り組もう。

仕事、スポーツ、芸事などの指導者には「自然にできるようになりなさい」「気合を入れて練習を積めば、無意識でできるようになる」と言う人がいますが、「上達の過程」で「意識せずに、無心で、自然に」はまず無理です。まずは「無心」ではなく意識的に「有心《うしん》」で技を使いつづける、つまり練習しつづける必要があります。

(24)【顧客】Customers
自己実現ばかりを考えすぎていないか。

〈顧客〉は**ドラッカー**が唱えた概念です。お得意様という意味なら、顧客はふつうの言葉ですが、〈顧客志向〉（企業活動を顧客中心に考える態度）、〈顧客ニーズ〉、〈顧客満足〉（企業が事業活動を通じて顧客の欲求を効果的に満たすこと）といった用語になると、概念と言えます。ものの見方を変えてくれるからです。

ドラッカーは「顧客は誰か」「顧客はどこにいるか」「顧客は何を買うか」、**〈顧客の欲求から出発せよ〉**と説いて、「ほとんどの事業が少なくとも二種類の顧客を持つ」としています。たとえば生活用品のメーカーにとって顧客とは消費者と小売店であり、消費者に買う気を起こさせても、店が商品を置いてくれなければ何にもなりません。「いい製品ができましたから買ってください」と言っても、顧客のニーズがなければ売れませんが、〈顧客〉はいわゆる「お客様」だけを指すわけではありません。**〈ふだん接している相手を顧客として認識してみると、発想が変わる〉**ことがあります。

大学でも、ここ二十年で学生を〈顧客〉ととらえるようになっています。教員がシラバス（授業・講義計画）をあらかじめ提示するようになったのも、「顧客（学生）サービス」の一環です。教員にとって学生といえば、かつては「指導する対象」でしたから、授業も、学生の反応を見ながら、当初の予定よりレベルの高いことを教えたり、方向性を変えたりすることがよくありました。しかし、**〈顧客対応〉**として見ると、それでは十分ではありません。

レストランの客がシェフの「お勧め料理」だけで満足するとはかぎりません。そこで、シラバスというメニューを用意して、客（学生）の好みで料理（講義）を選んでもらおうというやり方です。これによって、大学の職員や教員のあいだに、「学生の利益を考えると……」「学生側から見ると……」という観点が定着しました。

このように、教師の仕事は顧客と無縁のようでいて、発想を変えると、生徒や学生が顧客になります。

私立高校の場合、入学志願者が少なければ、それだけ収入が減り、学力レベルも落ちてしまいます。ですから、高校の先生が中学生とその保護者向けの説明会に自ら出向いていく。教師が「営業」に行くのは、今や当たり前になっています。大学進学の実績、部活の充実など、教師は、生徒と保護者という二種類の顧客のニーズに応えなければなりません。

授業は往々にして教師の自己満足、道楽になってしまう側面がありましたが、顧客満足を念頭におくと、この授業ははたして満足を与えているかを考えることで、より充実した授業ができるようになります。

夏目漱石は「職業と道楽」の違いを説いています。職業は人のためにするサービスで、道楽は自分のためのものです。悟りの修行をしている僧は道楽ということになります。職業は人のためにするものですから、顧客満足をめざさなければなりません。

私の場合、たとえば論文を書くとき、顧客はせいぜい三人ぐらいしかいません。もちろん、これは大事だと思う問題について書いていますから、学界で評価される、されないはありますが、一般向けということでは、ほとんどニーズがありません。

一般向けの本は、読者への訴求力が求められます。『声に出して読みたい日本語』を上梓《じょうし》する以前に書いた専門書は二千部ぐらいしか売れませんでしたが、発想を転換して、顕在化していない顧客（読者）の欲求を探り、顧客のニーズにまで下りていって、それを掘り出すことをやったところ、『声に出して読みたい日本語』シリーズは合わせて二百六十万部も売れました。顧客満足度が高かったことになります。

ディズニーリゾートも、アトラクションやショーだけでなく、たとえばジャングルクルーズで案内をする船長の説明が、マニュアルにそっていながらスタッフによって微妙に違いがある。そういうことがあると顧客満足度が高くなって、もう一度乗ってみようとなります。私は「ベストチーム・オブ・ザ・イヤー」の審査委員長を務めていて、二〇一六年は、リオ・オリンピックで金メダルを獲得した体操男子団体などと並んで、大ヒットしたアニメ映画『君の名は。』の製作チームに授賞しました。授賞理由の一つは、何回見ても発見があるように、新海誠監督をはじめスタッフが苦心してつくりあげたことで顧客満足度が高かったことを評価したからです。

ドラッカーという人は〈**概念を運用するのがうまい**〉と思わされます。顧客という概念をうまく使いこなせると、現代社会においては、顧客満足を通して自己実現をしていくものなのだというように、ものの見方が変わってきます。

顧客満足を通して自己実現をしよう。

自分がやりたいことをやると言って、それが職業になる人は、ほぼいません。ですから、他者実現を考えることが、結局、自己実現につながります。そのためには、自己中心性を離れて、顧客は誰か、顧客の隠れた欲求は何かを問いつづけることが大切になります。

(25)【マネジメント】Management
自分一人でなしとげたと思っていないか。

私は大学受験の勉強を中学のときからの友人と二人でやっていました。合宿したりして、二人で東大の過去問を解くと全部解けるのですが、一人ずつでやると力が出し切れないのです。二人一組で受験させてくれれば確実に東大に入れるのになあと、二人で言っていました。

〈力が合わさったときに大きなプラスアルファが出てくるのがマネジメントです〉。お役所仕事という言い方がありますが、ある部署は暇なのに給料は出る。民間企業なら、もっと合理化して、他の部署との連携によって生産性を上げることを検討するでしょう。そのように、組織が何をなすべきか、組織がどのように機能すべきなのかを問いつづけるのがマネジメントです。

ドラッカーは〈マネジメント〉には三つの役割があると言っています。

①自らの組織に特有の使命を果たすこと。マネジメントはそれぞれの組織の目的

を果たすために存在するということです。②仕事を通じて働く人たちを生かすこと。③自らが社会に与える影響を処理するとともに、社会の問題の解決に貢献すること。

マネジメント＝管理ですが、ただの管理ではなくて、今ある人的資源を最大限に生かすように持っていくことが求められます。同じメンバーなのに、マネジャーが替わったとたんに成果が上がるとしたら、新マネジャーにマネジメント力があるからです。

マネジャーというとトップの手伝いと思いがちですが、マネジャー＝統括者です。

『もし高校野球の女子マネージャーがドラッカーの「マネジメント」を読んだら』（もしドラ）がベストセラーになりました。ユニホームを洗ったり日程調整をするくらいだった公立高校の弱小野球部の女子マネジャーが、ドラッカーの『**マネジメント**』を偶然書店で手に取ったことをきっかけに、部の意識改革を進め、甲子園をめざすというストーリーです。

この本は、野球部にもマネジメントが生かせるのなら、会社はもちろんのこと、あらゆる組織においてマネジメントの理論は役に立つということで、ドラッカーのマネジメント理論を実際の場面で生かす王道的な入門本となりました。

マネジメントにあたっては、限られた人的資源をどう活用し、時間の制約のなかで組織の持つエネルギーをどう分配するかが問われます。マネジメントをマスターした人は、全体のエネルギーと限られた時間の中で目標のために何をそろえなくてはいけないかを考えます。その思考のあるなしは組織の成否を左右します。

マネジメントには、manage to (do) という表現があるように、〈何とかする〉という意味があります。サッカーのワールドカップに出場してベスト8を目標にするとしたら、逆算して与えられた時間のなかで、監督を誰にするか、どの選手を招集して、どういうチームづくりをするか、対戦相手などいろいろな状況を考え合わせてマネジメントしていかなければなりません。こうした複雑なことを〈何とかする能力〉がマネジメント力です。チームをまとめ上げ、チームの方向性とビジョンを示し、戦力を意欲的に動かし、成果を上げる。そのためにはイノベーションを起こすことのできる組織をつくるマネジメント力が求められます。ここでいうイノベーションは、技術刷新ではなく、システムの刷新です。イノベーションを起こしていける組織がつくれれば、マネジメントがうまくいっている証拠です。今もつづいていますが、松戸市が「すぐやる課」をつくって話題になりました。お役所仕事で対応が遅いという批判に応えようとしたのですが、変化に対応できるのもマネジメント力です。

町内会でも、マネジメントがうまい人がいると、旅行がうまく計画できたり、茶話会の運営がうまくできたりと、時間とお金を効率よく使って、そこに集うみんなが自己実現を感じられる組織づくりができます。ドラッカーが言うところの「社会の問題の解決に貢献する」が実現できているわけです。

ドラッカーは多くの重要な経営コンセプトを考案しました。それは企業にとどまらず、社会一般にまで及んでいます。「分権化」「民営化」「知識労働者」「非営利組織」という言葉もドラッカーによって浸透したものです。こうした概念を多数呈示し、その運用の仕方を説いたところにドラッカーのすごさがあります。

私は教師をめざす学生にも、マネジメントを学んでもらっています。ドラッカーはトップマネジメントの役割について、①事業の目的を考える、②組織全体の規範を定める、③組織をつくりあげ、維持する、④渉外を担う、⑤行事などへの出席という儀礼的な役割がある、と述べています。教師は一人ひとりがトップマネジメントですから、この五つの役割は教師にとっても必須になります。

全体を見渡す目を養おう。

いつもメンバーの一員でいるのではなく、ときにはメンバーを動かすマネジメントの視線で見てみると、トップにはトップなりの意外な苦労があることがわかってきたりして、自分を見る目も、全体を見渡す目も養われます。

㉖【交渉】Negotiation

自分のやりたいことを押し通そうとしていないか。

〈交渉〉は、弁護士や外交官のような専門家に限らず、ふつうの仕事でも、顧客のみならず、仕入先、上司、部下と、ありとあらゆる関係者との交渉の連続です。人生も、家族、友人、恋人など、さまざまな人との関係で歩むものです。

大学時代に交渉上手な友人がいました。合宿に行くと、雑談から入って料理場のおばちゃんと仲よくなり、いつのまにか料理をよくしてもらったり、ジムに通っているときにも、そこの守衛さんと仲よくなって、時間をオーバーして使わせてもらっていました。彼は大学を卒業して、社会的に大きな仕事をするようになりました。

対人関係は交渉で成り立っています。にもかかわらず、自分の利益を守れないからと、他人との関係を断ち切り、内にこもると、社会生活が営みづらくなります。逆に、相手の利益を考えずに、一方的に自分の利益を押しつけると、相手との関係性が切れてしまいます。最初から利害が一致していることはまずないので、**〈つねに相手の利**

益と自分の利益のすり合わせをおこなう必要があります〉。自分の発言力を高めるとともに、相手が本当に望んでいることは何かを理解することで、双方に利益がもたらされ、よい関係が維持できます。

〈**適切な交渉力を身につければ、人生そのものが豊かになります**〉。

私は『ふしぎとうまくいく交渉力のヒント』という本を弁護士の射手矢好雄《いてやよしお》さんとの対談形式で出版したことがあります。ハーバード・ロースクールに学んで、長い弁護士活動でノウハウを実践してきた「交渉のプロ」である射手矢さんによると、交渉術は〈**利益**〉〈**オプション**〉〈BATNA《バトナ》〉(Best Alternative to Negotiated Agreement)の三つに分けて、シンプルに考えることが大事になります。

〈利益〉とは、〈**自分にとっての本当の利益を明確にしておく**〉ことです。交渉とは、お互いの利益を発見していくことです。ついつい、「こうでなければ！」と根拠もなく思い込んだり、感情的になったりしがちですが、じつは利益だと思っていないものが利益であったということを交渉のあいだに見つけていくことが大事です。恋愛においても、「この人でなければ自分は死んでしまう」と思いつめてしまうと、相手に主導権を握られたあげく、ふられたときに憔悴《しょうすい》しきってしまいます。自分にとっての本当の利益をしっかり考えることで思考の幅が広がります。結婚を最大の利益とするならば、第一希望がダメでも別の人に切り替えようと、柔軟に考えることができます。

つぎの〈オプション〉は、**〈利益を守るために、複数の譲歩案を提示する〉**ことです。相手はそれを「誠意」と受け止めてくれて、相手から譲歩を引き出すことが可能になります。たとえばツアーで、料金はそんなに変わらないのに、オプションがあると選択の余地が生まれて、じゃあ、グランドキャニオンでお願いしますと乗り気になってくれる。選択肢を用意することは、交渉では大事なことです。オール・オア・ナッシングで選択の余地がないと、うまくいきません。

〈オプションというのは、相手の意思が入り込む余地を設けること〉です。そうすると交渉が柔軟になります。結婚するにあたって、収入はそれほどではないけれど、時間的には融通《ゆうずう》がきくので、もし子どもが生まれたときには保育園の送り迎えとかができそうだとオプションを提示できれば、相手の女性の意思が入り込む余地ができます。

そして三つ目の〈ＢＡＴＮＡ《バトナ》〉は、**〈最良の代替案〉**です。交渉では合意に至るとはかぎりません。そのときに「いざとなったら、こうすればいい」という、いわば逃げ道が用意できていれば、精神的にも余裕を持って交渉に臨むことができます。ＢＡＴＮＡを準備しておけば、交渉が決裂した場合でも、破れかぶれになることなく、余裕を持って別の選択肢を示すことができます。ＢＡＴＮＡがない状態に自分を追い込んでしまうと、あとがないと思われて、吹っかけても条件を呑むだろうと足元を見られてしまいます。反対に、代替案があることを匂わせることができれば、少し低い条件でも合意しようということにもなります。もし太平洋戦争に至る過程で、〈利益〉〈オプション〉〈BATNA〉という交渉術を踏むことができていたら、あの悲惨な戦争は回避できたかもしれません。「一億玉砕」では、利益も何もありません。

日常でも、対人関係は交渉だと思って、自分はこれこれを差し出しますから、あるいはここを譲りますから、あなたにはここをお願いしますというように、柔軟な運用ができると人間関係がうまくいきます。言われたことしかできないと、子どもの使いみたいになって、「そこをなんとかするのが君の仕事だろう」と言われてしまいます。

交渉術を身につけて、プレッシャーへの耐性を高めよう。

多くの人間関係は交渉によって成り立っています。そして、交渉を重ねることは、プレッシャーへの耐性を鍛えるいい機会にもなります。「どうせだめだろう」と最初からあきらめて、誰にも交渉を持ちかけないでいるのでは、人生はうまくいきません。

(27)【他力本願】自分本位で迷路にはまりこんでいないか。

〈**他力**〉というと、「他人のふんどしで相撲をとる」「人の提灯で明かりをとる」という言葉もあるように、力のない人間が力のある人に助けを求める依存心のことだと思いがちです。しかし、**親鸞**《しんらん》の言う〈**他力本願**〉は、心の闇や苦悩の元凶を打ち破って、大安心・大満足の心にする力のことです。自分を預けるという態度を徹底したところに見えてくる安らかな境地を、「南無阿弥陀仏《なむあみだぶつ》」という、たった六字の念仏で日本中に広めたのが親鸞です。

哲学者の**西田幾多郎**《きたろう》は『我が子の死』という随筆で、六歳の次女を病気で亡くした悲しみについて、こう書いています。昨日まで愛らしく話したり歌ったり遊んだりしていたのに、たちまち姿を消して壺の中の白骨となるというのは、いかなる訳があるのか。あれをしたらばよかった、これをしたらよかったなど、後悔の念に心を悩ます。しかし、何事も運命とあきらめるよりほかはない。運命は外から働くばかりでなく、内からも働く。われわれの過失の背後には、不可思議の力が支配しているようである、後悔の念が起こるのは〈自己の力〉を信じすぎるからである。われわれは、このような場合において、深く己《おのれ》の無力なるを知り、己を棄てて〈絶大の力〉に帰依《きえ》するとき、後悔の念は転じて懺悔《ざんげ》の念となり、心は重荷をおろしたように、自ら救い、また死者に詫びることができる……。

　そして最後に、「念仏はまことに浄土に生《うま》るる種にてやはんべるらん、また地獄に堕《お》つべき業《ごう》にてやはんべるらん、総じてもて存知《ぞんち》せざるなり」と『歎異抄《たんにしょう》』から親鸞の言葉が引用されています。必ず浄土に行けますではなく、念仏は浄土に行く種をまくことになるのか、地獄に堕ちるおこないとなるのか、私たちにはわからないことだから、阿弥陀様にまかせなさいと説いた親鸞。我が子を失った今、阿弥陀様にまかせようと思うことで安らかな知恵が見えてきたということが西田幾多郎にあったのです。『声に出して読みたい親鸞』という本を出したときに、百項目ぐらい文章を選んだところ、どれも主張が一貫していました。自分はいろいろなことがわからない人間だから、過ちも犯すし、勉強も足りない、そんな凡夫であるからこそ、南無阿弥陀仏と唱えて阿弥陀様におすがりするだけだ。法然上人（親鸞の直接の師）にだまされて地獄に堕ちたとしても、少しも後悔しないと、一貫して説いているのです。

ここまでいくと、他力の圧倒的な強みを感じます。大地にふわっと立っているような、地に足がついていて、しかもやわらかいという印象を持ちます。頭でっかちではない、リラックスした生き方です。念仏の効用は、呼吸にも関係しています。何回も同じことを唱えていると息を吐きつづけるので、リラックスする効用があるのです。

念仏にかぎりませんが、運命の力を受け入れ、まかせることが知恵だと考えると、うつになりすぎないですむのではないかと思います。

迷っている人というのは、自力で迷いを吹っ切ろうとして力みかえっている。結果が出ているのに責任を感じて自己嫌悪に陥ってしまう。これがうつの非常に危険なサイクルになると言います。『うつヌケ　うつトンネルを抜けた人たち』という、うつ病から脱出した人の体験談にもとづいた漫画があります。自身もうつ病の体験者である作者が言うには、自己嫌悪に陥ったときからひどいうつになってしまったそうです。

その点、他力だと自己嫌悪にはなりません。無責任に思われるかもしれませんが、自分がやれることなど、たかが知れている。だからすべてを自分の責任であると考える必要はない。阿弥陀様という大きなものにおまかせするのだと考えると、自分の力を過信することがないので、自己嫌悪にならずにすみます。

大谷大学の一楽真《いちらくまこと》先生と「親鸞フォーラム」というイベントでご一緒したとき、

アミータという言葉を教わりました。「ア」は否定形で、「ミータ」は「量《はか》る」、つまりメーターと語源が同じで、量るの否定で〈無量〉ということになると話しておられました。自分の役に立つか立たないかを量らない、得か損かを量らない。このアミータに漢字を当てると「阿弥陀」になるのだそうです。

「年よりや月を見るにもナムアミダ」という一茶の句があります。これはちょっとジョークも含まれていますが、月を見てもありがたい、雨が降ってもありがたい、お天道様が出てもありがたい、何があっても、何が起こっても、南無阿弥陀仏（なむあみだ、なんまいだ）と唱えると気が楽になる。自力で自力でと思っていると、それが落とし穴になって、かえって苦しくなります。他力本願を味方につけると、肩の力が抜けて、見えてくる風景が変わります。一茶の句をもう一つ。「ともかくもあなた任《まか》せのとしの暮」。この「あなた」は阿弥陀様です。つぶやくと力みが抜ける句です。

自意識でいっぱいの心を明け渡してみよう。

他力本願は、自意識でいっぱいになっている心のスペースを大きなものに明け渡すことです。それによって、心がスーッと楽になります。この感覚が〈存在の不安〉から私たちを解き放ってくれます。

(28)【アイデンティティ】Identity 君は何者かと聞かれたときに答えを持っているか。

「アイデンティフィケーション・カード」（身分証明書）は、自分がどういう人間かを証明するカードです。身分証明書によって、名前や住所、○○会社の社員というように自分という存在を明示する。**〈自分という存在を明らかにするもの、それがアイデンティティ〉**です。〈**アイデンティティ**〉はアメリカの発達心理学者・精神分析家**E・H・エリクソン**が唱えた概念です。日本語では〈**自己同一性**〉と訳されることがありますが、〈**存在証明**〉の方がわかりやすいと思います。そのエリクソンはアイデンティティの要素を二つあげています。第一は〈**自分の中で一貫性を持っているもの**〉、第二は〈**自分の本質的な部分をほかの人と共有していること**〉です。

〈一貫性〉というのは、たとえば「男性性」に徹底してこだわる人にとっては、男であることがアイデンティティになります。今の世の中、男と女を区別したところで意味がないと考える男性だとしたら、男であることはアイデンティティにはなりません。

第二の〈自分の本質的な部分をほかの人と共有している〉というのは、たとえば鹿児島県人なら薩摩人がアイデンティティになりますし、明治大学出身なら、百数十年の伝統の中で培われてきたカラーを多くの卒業生たちと共有していますから、ある種のアイデンティティになっています。熱烈な阪神タイガース・ファンのあいだでは、ファンの間だけで通じる感情があります。ほかの人たちとは異なる興味・関心で結束力が生まれ、それがアイデンティティになっています。

このように、〈**アイデンティティは、個人的かつ心理的なものであると同時に、社会的なもの**〉です。そこからエリクソンは、人間はサイコーソーシャルな存在、心理・社会的存在だと言っています。ですから、会社にもどこにも所属していません、ただ家でじっとして誰ともかかわっていないとなると、存在の証明がむずかしくなります。

ガンジーがインド独立でやったことは、インドの人民に、インド人としてのアイデンティティに目覚めさせることでした。ガンジーはイギリスに留学して弁護士になりました。背広を着て仕事をしていたのですが、あるところで差別を受けます。弁護士なのになぜこんな扱いを受けるのかと、インドの現状を見てみると、イギリスの支配下にあってインド人としてのアイデンティティを失い、失われた人民になっていることに気づいたのです。そこで、背広を脱ぎ捨てて民族衣装に着替え、イギリスの綿製品ではなくて、自分たちで綿を織るようにした。イギリス植民地政府による塩の専売に抗議して、多くの人たちと塩の生産の自由化をアピールして歩いた（塩の行進）。そのようにしてインド人のアイデンティティに目覚めさせたわけです。キング牧師はガンジーの非暴力・不服従に刺激を受けて公民権運動を加速させ、黒人たちに自分たちの誇り、アイデンティティを取り戻させる運動を展開しました。

〈**アイデンティティ・クライシス**〉という言葉があります。小学生や中学生のときは、アイデンティティがそんなに崩れないのですが、たとえば大学受験に失敗して浪人すると、予備校はあくまで腰掛けで所属とまでは言えないので、存在が証明できなくなってしまいます。

私は大学院生のときにアイデンティティ・クライシスを体験しました。大学院生は社会的なポジションが明確ではないからです。そこで私は、大学院に来ているのに学生扱いされるのはごめんだと、毎日スーツを着て通っていました。自分は研究者なのだから対等に扱ってほしいというメッセージの発信です。プロとして扱われたいのに、学生並みに扱われる。アイデンティティのズレに苦しんだ記憶があります。

夏目漱石はロンドンに留学して英文学を研究しましたが、英国の学者の言うことを繰り返すだけでいいのかと下宿の一室で悶々としたあげく、〈**自己本位**〉で行こう、自分が考えたことを書こうと覚悟が定まってから、研究でも小説でも力を発揮できるようになりました。

君は何者かと聞かれたとき、社員なら○○会社の社員と答えることはできますが、組織と一体化しているときは存在できているように思えても、定年や中途で退社すると、アイデンティティはあやしくなってしまいます。ですから、○○出版社の一員ですというよりも、自分は編集者ですという方が、他の出版社に転職しても、引き続き編集者としてのアイデンティティが存続することになります。また会社員でありながら、アマチュア天文学者という人がいますが、その人のアイデンティティは、会社員よりも、一生の趣味である天文学者と言った方がいいのかもしれません。

自分はこれだと胸を張って言えるものをつかもう。

自分とは何かを求めて遠くをさまよっていないか。じつは、これが自分だと言えるようなものは意外に身近にあることが多いものです。人間というのはどこかで存在証明を求めていて、ほかの人と共有できるもの、自分はこれだと胸を張って言えるものをつかんだときに、力を発揮できるようになります。

(29)【天地有情】感情は自分の心にあるものだと思っていないか。

哲学者の**大森荘蔵**《しょうぞう》さんは『**自分と出会う**』という著作で、人は喜怒哀楽の感情を「心の中」にあるものと思っているが、それは人間が自分自身について抱く錯誤や誤解で、「事実は、世界そのものが、すでに感情的なのである。世界が感情的であって、世界そのものが喜ばしい世界であったり、悲しむべき世界であったりするのである」と書いています。

大森さんは以下のように説いています。

〈**自分の心の中の感情だと思い込んでいるものは、じつはこの世界全体の感情のほんの一つの小さな前景にすぎない**〉。たとえば天気と気分について考えてみるとよくわかる。雲が低く垂れ込めた暗鬱な梅雨の世界は、それ自体として陰鬱なのであり、その一点景としての「私」もまた陰鬱な気分になる。天高く晴れ渡った秋の世界は、それ自身が晴れがましいのであり、その一前景としての「私」もまた晴れがましい気分になる。世界は感情的なのであり、〈**天地有情**《てんちうじょう》〉なのである。その天地に地続きのわれわれ人間もまた、その微小な前景として、その〈有情〉に参加する。それが、われわれが「心の中」にしまい込まれていると思い込んでいる感情にほかならない……。

大森さんは、〈天地有情〉ということを鋭敏に理解した例として、山水画、文人画を含む日本画家や、フランスの印象派の人たちを挙げています。

それは、風景を描写するにあたって、なによりも〈風景の感情〉を表現しようと努力したからです。

自分が心の中で思っていることは、外の世界を取り込んでいて、しかも外の世界の一つの表現が自分の心の中の感情かもしれないとなると、たとえば自分の心の中がうつうつとしているのは、うつうつとした世界に生きているからそうなるのだという理解になって、〈天地有情〉という四文字の概念によってものを見るようにすると、〈**無情感**〉から解放されます。

医師で作家の南木佳士《なぎけいし》さんは、芥川賞をとり、作家と医師の両方の仕事をこなすうちに疲れをため込み、パニック障害、そして重いうつ病を発症したとき、この〈天地有情〉がうつ病の奈落の底にあって最良の薬となり、命の恩人ともいえる言葉になったと書いています。

数学者の藤原正彦さんは『若き数学者のアメリカ』という本に、こう書いています。一九七二年の夏、ミシガン大学に研究員として招かれ、セミナーの発表は成功を収めたが、アメリカへの対抗意識や、アメリカ人が日本人である自分に敵意を持っている、あるいはばかにしているのではないかという被害妄想的な心情によって心を病んだ。そんなときに、冬を迎えた厚い雲の下にいるよりは、開放的なフロリダに行った方がいいとのアドバイスを受けて、その地の浜辺で少女と親しくなり、困難を乗り越えた……。

自分の気分がすぐれないのは、自分の心の問題だととらえてしまうと、にっちもさっちもいかなくなります。

大森さんは、**〈人は何でもやたらに心の中に取り込もうとする悪いクセがある〉**と言います。眼前に何か恐ろしい物なり人なりがあるとすると、人はすぐに恐怖の感情をそこからはぎ取って、自分の心の中に取り込み、感情とは自分の心の中だけのものだと誤解してしまう。しかし、感情だけをはがし取ったりすることは、土台できることではない。

事実は単純で、恐ろしいものが眼前に居る、それ以上でも、それ以下でもないのだから、**〈このひずんだ状態から、人間本来の素直な構図にもどればいい。つまり、わ**

れわれは安心して生まれついたままの自分にもどりさえすればいいのだ〉。

生まれついたままの自分にもどるのに、難解な哲学や思わせぶりな宗教談義は無用で、「自然と一体」などという、できあいの連呼に耳を貸す必要はない、と説いています。

感情的なものをすべて天地の側に返すことで、自我を空っぽにするという仏教的な悟りに近いものがあります。安心して生まれついたままの自分にもどればいいと思えるようになれば、心の負担は減じます。

大森さんによれば、「(これは)人であれば、誰にでもできることで、たかだか一年も多少の練習をしさえすればよい」のだそうです。

一年くらい練習すればいいという言い方ができる哲学者はそうはいません。大森さんは、哲学を解説する学者ではなく、自分の頭で考える哲学者で、そこが魅力です。

それにしても、人間の意識はなかなかやっかいなものです。世界と自分はもともと地続きなのに、人の意識はそれを隔ててしまう。大森さんに言わせると、〈**意識こそ人と世界を隔てる元凶**〉です。

たしかに、自意識が強すぎると世界と自分を隔てることになるので、いったんリラックスして取り去り、安心して生まれついた自分にもどることは、南木さんや藤原さんのように、生きていく上で新たなエネルギーを得ることになります。

私は、自意識が過剰なのを〈**自意識メタボ**〉と呼んで、危険信号だと思っています。自意識メタボの人は、自意識のなかで意識がぐるぐるまわってしまっている状態にあります。自意識過剰にはまると、外に向かうべき意識のエネルギーを膨大にロスすることになります。

自意識メタボの改善法は、たとえば温泉に入ることです。温泉と身体が一体化して、ゆるゆると自我が溶けていく感じがします。

夏目漱石の『草枕』の主人公のように温泉場で芸術的気分に浸る。温泉でなくても風呂でお湯に身体をゆるませる。きれいな青空に自分を溶かすイメージで空をながめてみる。自意識が減ります。

「自分の心」というしばりをほどいて、世界を広げよう。

ちっぽけな自意識ほど、自分のなかで大きな障壁となるものはありません。「自分の心」に重きをおきすぎないで、もっと世界を広げ、天地と情をともにする感覚を追求したいものです。

(30) 【離見の見】自分の見方が絶対だと思っていないか。

自分で自分を見るのはなかなかむずかしいものです。人間には思い込みがあるので、自分自身を見ていると思っていても、思い込みにすぎないことが多々あります。そこで、離れたところから自分を見てみようというのが〈**離見**《りけん》**の見**《けん》〉という考え方です。〈離見の見〉は能の心得として**世阿弥**が説いた言葉です。「自分の芸を、観客の目で見なさい」という意味です。演者自身の目で見る自分の姿は、主観的な見方（我見《がけん》）ですが、「我見」にとらわれている演者は、観客を満足させられません。

だからこそ〈離見〉が必要になります。自分の姿を役者自身が意識する。つまり〈**自己を客観視する力**〉です。世阿弥は〈離見の見〉の具体的なやり方として〈**目前心後**〉ということを言っています。「目は前を見ていても、心は後ろに置いておけ」、つまり自分を客観的に外から見る努力が必要だということです。

舞台上で役者である自分をもし観客の目から見たらどう見えるか、それがわかれば、ここは直した方がいいと対処できます。私は大学院のとき、自分の授業をビデオに撮って、あとからそれを見る機会がありました。そこで見えたもの、気づいたことは大きな財産になりました。そんな体験をふまえて、教職をめざす学生に一分間しゃべってもらって、スマホで撮った映像を再生して見せたことがあります。すると学生は、「えーと」をたった一分間に六回も言っていることに気づいて愕然《がくぜん》とします。「我見」だと、六回も「えーと」と言っているとは思いもしないのです。

これを繰り返し練習していくと、いちいち映像に撮って見なくても、自分がやっている姿をもう一人の自分が見ているようになってきます。そんなふうに〈離見の見〉がある程度身につくと、たとえば、自分が言い間違えた瞬間に気づいて、「あっ、すみません」とすぐに訂正できるようになります。

ところが言い間違いをしても気がつかない人がいます。人から言い間違いを指摘されても、「いや、そんなふうには言っていないはずだ」と否定するとしたら、その人は離見の見が身についていないことになります。

アナウンサーが言い間違えると、耳元のイヤフォンを通して間違いを指摘するシステムがありますが、機械に頼らなくても自分で直せる人は〈**自己修正機能**〉があるわけです。〈**離見の見には自己修正機能がある**〉のです。

すぐれたサッカー選手はピッチ全体を見渡す視野があるそうですが、並の選手はボールのコントロールに精一杯で、足元ばかりを見て、まわりを見る余裕がありません。ところが、すぐれた選手はテレビカメラで見下ろしているかのようにピッチ全体を見ることができるので、離れた位置のフリーの味方にもパスが出せるのです。〈離見の見〉は自己修正機能だけでなく**〈全体を把握する俯瞰《ふかん》的なものの見方〉**でもあります。

世阿弥は「後ろ姿を覚えねば、姿の俗なるところをわきまえず」とも言っています。「後ろ姿を見ていないと、その見えない後ろ姿に卑しさが表れていることに気づかない」という意味です。「心を後ろに置いて」、背中から自分の立ち居振る舞いを見て、生き方や仕事っぷりに恥ずべきところはないかを見極めなさいということです。

〈離見の見〉を身につけて、ものごとを大きくとらえることができるようになると、問題を抱えているとき、もし自分を他人だと思って見てみると、「誰かが自分のところに相談しに来たら、それは我慢しろ」と言うかもしれないなとか、「これはあまりにもひどいから上司に相談した方がいい」とアドバイスするかもしれないと、第三者的な目で自分の問題をとらえることができるようになります。

欧米では「リーディングワークショップ」という、読書を通して**〈メタ認知能力〉**をつける授業がおこなわれています。メタは「高次の」「超えた」という意味で、〈**認**

知している自分自身を認知する能力〉〈**自己客観視力**〉のことです。「自分がそれを『知らない』ということを知っている」（無知の知）というように、自分が感じていることや考えていることを、より高い位置から俯瞰してとらえるというように、自分が感じている

私はメタ認知能力を身につける練習を学生にやってもらっています。たとえば「誰がディスカッションでクリエイティブな働き、生産的な働きをしているか」がわかる力を身につけるという観点から、五人が議論をし、他の五人は外から見下ろす感じでノートを取る。ディスカッションしている五人のなかで誰が一番働きがいいかをチェックする。すると、自分がディスカッションに加わったときに、外にいたときの全体的な視点が残っていて、〈**メタディスカッション能力**〉〈**メタ視点能力**〉が身につくようになります。

自分を外から見る自己客観視力を身につけよう。

もう一人の自分が自分を見るという感覚を覚えると、余裕が生まれてカッとしたりせずに、独りよがりにならずにすみます。それが自己コントロールにつながり、自分を変革していく力になります。

(31)【スタイル】Style
自分のスタイルと呼べるものを持っているか。

井上陽水さんには井上陽水さんのスタイルが、ユーミンにはユーミンのスタイルが、サザンオールスターズの桑田佳祐さんには桑田さんのスタイルがあります。私は、多くの人に共通する〈型〉（一一三頁を参照）とともに、他の人にはない、その人独自の〈**スタイル**〉も大事にしています。それは、〈**私たちはスタイルがある人を評価する**〉からです。

スタイルとは、流儀、やり方に一貫性があるということです。**メルロ＝ポンティ**は『**世界の散文**』の中で、〈**一貫した変形作用というものがスタイルである**〉と言っています。鉛筆で書いた筆跡と黒板に書いた筆跡が異なる筋肉を用いているにもかかわらず同じものであったり、あるメロディが転調してもやはりそのメロディに変わりがないことを例に挙げています。また、スタイルは他の人にはその人の一貫した態度として知られうるが、当の本人にとっては見えないものである、とも説いています。

たとえば桑田佳祐さんを一つの〈変形作用を持つ装置〉とすると、その装置に他のミュージシャンの曲を入れると、すべて桑田スタイルの歌い方に変形されてしまう。桑田さんは意識していなくても、聴いている私たちは、「あっ、桑田さんの歌だな」と感じます。

ゴッホという変換装置にかかれば、すべてがゴッホ風になる。ですから、贋作《がんさく》ができるわけです。一流の画家はスタイルが確立されているので偽物が作りやすいのですが、二流、三流には独自のスタイルがないので、逆にまねるのがむずかしくなります。

ルノワールが描くと、つやつやと輝く肌に象徴されるように、この世に生きていることが楽しいという雰囲気になります。それが彼の世界観や技術を含めてルノワールのスタイルなわけです。ムンクの絵には、日光が足りない、不安な感じが表れている。これがムンクの世界観であり、このスタイルに私たちは惹《ひ》きつけられるわけです。

このように〈**私たちはスタイルというものを楽しんでいます**〉。ラグビーの明治大学と早稲田大学。明治はフォワードを中心に前へ前へと押していく。早稲田は左右に展開する。この異なるスタイルとスタイルのぶつかり合いに観衆は熱狂したのです。

しかし、スタイルは一朝一夕で身につくものではありません。スポーツにしても芸術にしても仕事にしても、一流の人は苦しい練習によってスタイルを身につけています。**〈勉強でもスポーツでも仕事でも、自分が体験し学んだことは、自分のスタイルとして練りあげ、技化してこそ意味があります〉**。スタイルはもがきながら成熟させるものです。ゴッホは本当に大切なものを描き、人々に喜びを与えたいという思いにあふれていました。生きているあいだは数枚しか絵が売れなかったのですが、それでも作品にすべてをかけるために、理性のバランスを崩してしまうほどに自分を追い込み、「高み」、つまり自分のスタイルにたどり着こうと奮闘したわけです。

吉田松陰が主宰した松下村塾《しょうかそんじゅく》。この塾では今でいうアクティブ・ラーニングを展開しました。「（高杉）晋作、お前、言ってみろ」「（久坂）玄瑞《げんずい》、お前ならどう考える」というように意見をぶつけ合い、議論するのが松陰のスタイルでした。スタイルは〈一貫した変形作用〉があるので、黒船に乗り込んで捕まり、野山獄《のやまごく》に入れられたときも、囚人を相手に講義をし、囚人を管理する獄吏《ごくり》までが参加しています。「共同の学び」が松陰のスタイルです。その学びの場から、それぞれが自分のスタイルを技化したことで、幕末から維新の日本を主導する人材を多く輩出することになりました。

〈場〉でいえば、ほかにもピカソ、マティス、ブラックらの画家が集《つど》ったモンマルトルの安アパート「洗濯船」、手塚治虫、石森（石ノ森）章太郎、赤塚不二夫、藤子・F・不二雄らの漫画家が集ったアパート「トキワ荘」など、いつの時代にも、才能のある人間がお互いを育てあう溶鉱炉のような場が存在していました。意外にも天才たちは交友好きです。私は、このような人と人との関わり合いを、スタイルとスタイルのコミュニケーションととらえて〈**スタイル間コミュニケーション**〉と呼んでいます。

一流の選手には磨き抜かれた技がいくつもあります。一つひとつが、練習に練習を重ねた結果、得られた自信の得意技です。しかし、彼らが素晴らしいのは、いくつもの技によってその人独自のプレースタイルが確立されていることです。スタイルがあるから一流の選手は勝負に強い。ですから、新入社員であっても、経験が足りない分、まずは「自分はチームのために何ができるのか」を考えて、たとえば元気を前面に出して場を明るくするなど、進んで経験を積むことで、自分のスタイルを練りあげていくことができます。

自分のスタイルはこれだというものを獲得しよう。

日本人は、成長するにしたがってコミュニケーションが下手になり、孤立化しやすくなる傾向があります。それは自分の〈スタイル〉が確立できていないために、発信することをためらってしまうからです。スタイルを獲得することは、生きるうえで力になり、人生が手応えのあるものになります。

(32)【加速度】Acceleration 自分の手には負えないと立ち止まっていないか。

ニュートンの運動方程式 $F=ma$。Fは力、mは質量、aは加速度で、「力＝質量×加速度」です。加速するには力が必要ですが、もしそれが等速直線運動なら、加速したあとは力はゼロでもいい。等速直線運動は速度を変えずに一直線上を進む運動のことです。最初の一秒間に一メートル進んだら、つぎの一秒間にも一メートル進む。仮に摩擦（抵抗）がなければ、最初に力を加えさえすれば、あとは力を与えなくても同じ速度を維持できます。「はやぶさ2」が宇宙に飛び立ったとき、「はやぶさ2」自体は一円玉を動かすくらいのエネルギーしか出せないそうですが、宇宙空間はほとんど抵抗がないので、加速する力がほとんどなくても、あとは飛びつづけることができるのです。

加速するのに力が必要だということは、逆に言えば、加速しないのであれば力は必要ないということになります。最初に力を加えさえすればいいと考えると、〈**物事は**

最初が肝心で、それを維持するのは、さほど大変ではない〉ということになります。

$F=ma$ は日常に生かすことができます。入社して最初の一カ月は大変だが、あとは楽になると思ってはじめると、実際にそうなることが多い。ところが、一カ月のあいだ我慢すれば楽になるとは思えないで、研修期間中に辞めてしまう人が少なからずいます。研修は加速の時期ですからエネルギーを使うのはしょうがありません。しかし、いずれ等速直線運動に入ることがわかっていれば忍耐することができるはずです。

恋愛でも、すごくもてる人にアプローチしようとする場合には、ちょっとのことでは相手の心は動かない（mが大きい）ので、自分に振り向かせるには、より大きな力（F）が必要になります。自分にはどんなFがあるのか。まめさか、金の力か、コミュニケーション力かを考えて、最初の数回のデートにエネルギーを集中して使う。そこで力がうまく発揮できれば、十回目ぐらいになると、そこまで加速しなくても、エネルギーを使わなくても、十分に等速直線運動でいけるようになるわけです。

摩擦（抵抗）がなければ、最初に力を加えるだけで、あとは等速直線運動でいくわけですが、現実の社会で摩擦がゼロということは考えられません。結婚すれば、多かれ少なかれ夫婦間には摩擦がありますから、改善しないで放っておけば、マイナスの加速になって、関係が冷えてしまいます。「慣性の法則」に頼りすぎていると、失速して関係性が悪化するので、摩擦による劣化を考慮して、再加速する必要があります。家族旅行をする、会社であればチームで飲み会をやるなどして再加速する。するとまた等速直線運動にもどれます。

軽いもの、つまりmが軽いと、小さい力（F）でも動かすことができますが、重いものになると、加速させるには大きなエネルギーが必要になります。いま動かそうとしている問題が非常に大きい問題だとすると、自分はそんな大きな力を持ち合わせていない、出せないと思って、躊躇《ちゅうちょ》しかねません。そんなときには、小さい部分を積み重ねていけばいいというように考えを切り替えるとうまくいきます。

デカルトは、難問の一つひとつをできるだけ多くの、しかも問題をよりよく解くために必要なだけの小部分に分割することを説いています。〈**小さい部分に分解すれば一つ一つは小さい力で動く**〉。それを一つずつ積み上げて、結果的に大きなものをこなす。たとえば一戸建ての家を買うのは、ふつうの人にとって、大それたことに感じます。そこで、「電話をかけて資料を請求する」「資料を受け取って現地を見に行く」「現地で物件の状態を調べる」「ローンを計算する」というふうに分割して考えると、一つひとつはできそうに思えます。「全体として達成する」という漠然とした目標ではなく、具体的な目標に分割して全体の目標を達成するというアプローチです。

仕事でも、同じように分割して考えると楽になり、達成度も上がります。九時から五時は仕事、あとはプライベートというおおざっぱな分け方ではなく、学校の時間割りのように一日をブロックに割り振るのです。私は、大学の授業のブロック、大学の事務のブロック、本の仕事のブロック、テレビの仕事のブロックというように仕事ごとに色分けして、さらに余暇や読書の時間など、こまかなブロックを組み合わせて一日を構成しています。一日をひとかたまりでとらえると、何から手をつけていいのか戸惑いますが、一つひとつのブロックなら小さな力ですみます。それを積み重ねていって一日が終わったときには、その日の目標が達成できているというわけです。

もう一つ大事なことは、どこで加速するかを考えることです。たとえば逆風のときに加速しても結果に結びつかないので、そんなときには、今は力を溜めておく期間なのだととらえることです。つまり、不遇のときにも手を抜かないことが大切なのです。

人生にメリハリをつけよう。

人生を区切り、ステージを変える際には加速力が必要です。ここぞというタイミングでは一気に事をなしとげ、逆風状態のときには、じっくり力を蓄える。成功している人は努力の速度にメリハリをつけています。

(33)【フロー体験】Flow 自分の心が滞っていないか。

仕事をしていて、何か流れが悪いなとか、どこか引っかかりがあるなと感じたり、結果を出せ、成果を出せと言われつづけて、仕事のプロセスが楽しめなくなっている。この仕事は好きではじめたのに、好きかどうかさえもわからなくなってしまった。

そんなふうに心がよどんでいる、滞っている状態とは対照的に、自分がしようと思っているのではなく、来た球を打っただけというような、〈**自然な流れのなかでやっていながら、うまくいく**〉、これが〈**フロー体験**〉です。「フロー」＝「流れ」です。

〈フロー体験〉は、ハンガリー出身のアメリカの心理学者**ミハイ・チクセントミハイ**が唱えた概念で、その後、世界中に広まりました。チクセントミハイは自分のところの大学生に、フットボール、チェスからディスコダンスまで、十分な時間をそれ自体の楽しみだけに費やしている人たちにインタビューさせて、なぜそれをするのか、その理由を聞き出しました。そこでわかったことは、異なるジャンルの遊びなのに、彼らに共通しているのは、その経験自体が楽しいので、純粋にそれをするために多くの時間や労力を費やしていることでした。

そこからチクセントミハイは、人は〈フロー状態〉にあるとき、その能力を最大限に発揮し、パフォーマンスが最大化するとして、〈**楽しさは何をするか、によるのではなく、むしろどのようにするか、によって決まる**〉と説いています。

スポーツ選手は「ゾーンに入った」という言い方をしますが、これもフロー状態、フロー体験です。〈**一つの状態に没頭しているので、他の何ものも問題にならなくなる状態**〉です。

私たちの日常生活では、自分のスキルに比して目標のハードルが高いために、ストレスや不安を感じたり、反対に自分のスキルからするとチャレンジがあまりに低いときには、退屈に感じます。

チクセントミハイは『**フロー体験入門　楽しみと創造の心理学**』という著作で、多くの人々にとって平均的な一日は、交互にやってくるストレスと退屈の連続であるが、どちらも気持ちのよいものではない。しかし、これがわれわれの大半が送っている生活であり、過ごしている時間の大半である、と書いています。チャレンジすることがむずかしすぎると、流れに乗れない。スキルとチャレンジがうまく釣り合っていると、流れに乗っているようにスムーズにできる。このように、チャレンジとスキルのバランスがとれているときにフローは起きるわけです。そして、スキルとチャレンジのバランスがとれたところで活動していると、意識が変わりはじめて、時間の経過と自我の感覚を失う。つまり没入している状態になります。〈**フロー＝没入状態**〉です。

ゲームを考えてみましょう。簡単すぎるゲームは面白くありません。むずかしすぎると、挑戦する意欲が湧きません。自分のスキルに見合ったチャレンジがあると、集中力が生まれて、ゲームに夢中になります。自分の「心理的エネルギー」が一〇〇パーセント、いま取り組んでいる対象へと注がれている状態、忘我の状態です。自分が楽しんでやれるかは、プロセスそのものを楽しめるかどうかにかかっています。

ですから、同じ仕事であっても、トラブルもあるけれども、運がいいだけではなくて、自分の中で歯車が合ってきた気がする。それはチャレンジとスキルがちょうど見合った状態ですから、集中力が生まれて、仕事をクリアできる。すると、次の課題に挑戦してみようとなって、またクリアするという、正の連鎖が生まれます。ゲームでも、うまくつくられたゲームは次々にクリアしたくなる要素がちりばめられています。フローな感覚をもたらすゲームは人気が高いことになります。

「フロー体験」をしているとき、人は自分の能力を最大限に発揮し、心理的なエネルギーを費やして取り組んでいますから、その体験を通して自分の能力が向上し、より複雑なものに取り組む力も向上します。ゲームの技量が向上するのと同じです。

この繰り返しによって、自分を成長させていくことができます。最初から結果のみを考えると、そこで滞ってしまうので、まずは〈**流れに乗る**〉ことが大切になります。チクセントミハイは、何かに没入するような体験を重視する知恵は、じつは数世紀も前の世界、なかでもアジアに探すことができると言っています。

たとえば、『バガヴァッド・ギーター』というヒンドゥー教の聖典には、神が王子に「誰が戦いに勝利するかは気にしないように。大切なことは、あなた（王子）を無比の戦士たらしめている技を使うとき、最善を尽くすように集中することである」と告げる場面があります。結果を気にして心を滞らせないようにというアドバイスです。

楽しんで集中しよう。

フローを体験することができれば、没入することで、ささいなことや思いわずらいが意識から締め出され、他の人からの評価を気にしたり、心配したりすることが起きません。それればかりか、自分が一段大きくなったように感じられるようになります。

(34)【弁証法】Dialektik

矛盾や対立を怖れて萎縮していないか。

日本人は、できるだけ対立を避け、矛盾もできるかぎり少なくして、みんなが納得するところでやっていこうとします。それに対して西洋文化の基本には、矛盾や対立はパワーの源であるという考え方があります。〈矛盾があるからこそ次の段階、次の次元に行ける〉。この考え方が〈**弁証法**〉(ドイツ語で Dialektik《ディアレクティーク》)です。弁証法というとむずかしく感じますが、〈**対話術**〉〈**問答術**〉(ギリシャ語で Dialektikē《ディアレクティケー》 technē《テクネー》)ととらえると、身近な考え方に思えてきます。たとえば、Aが「自分はパンが好きなので、パンさえあれば生きていける」と主張したとき、Bが「パンだけでは栄養のバランスが悪い」とAの主張を否定する。そこで対話を深めていって、「サンドイッチにすれば、パンも食べられるし、栄養もそこそことれる」という結論に達する。このように、〈**議論をおこなって、より高い次元の結論を出す方法論**〉が弁証法です。

弁証法は「テーゼ=正」「アンチテーゼ=反」「ジンテーゼ=合」、〈**正→反→合**〉から成り立っています。パンの例でいえば、Aの主張が「テーゼ＝正」で、これと矛盾する、もしくはこれを否定するBの主張が「アンチテーゼ＝反」です。すべてのものは対立によって互いに結びついているのですが、対立し合う二つの関係を、正も反も切り捨てずに統合して、「合＝ジンテーゼ」という解決法を見いだす。Aの「正」の立場も、Bの「反」の立場も棚上げにしないで、一つ上の次元へと「(対立を止めて)引き揚げる」ことになるので、これを「**止揚《しよう》＝アウフヘーベン**」と呼んでいます。

このアウフヘーベンという概念を提唱したドイツの哲学者**ヘーゲル**は、知識や認識だけではなく、歴史や社会のあり方も、〈正→反→合〉で理想に近づいていくと主張しました。古代から中世、絶対王政から共和制という流れも矛盾を乗り越えてきたプロセスですし、憲法を基礎にした近代国家も、さまざまな矛盾を乗り越えて社会意識が発達してきた結果です。人類の歴史はそうした矛盾を乗り越えてきた歴史だというヘーゲルの歴史観には納得がいきます。

私は大学時代、一人の友人とずっと議論をしていました。ところが、その友人とは仲がいいし、似たような本を読んでいたので、議論をするとすぐに意見が一致してしまう。このままでは議論が深まらないので、意識して相手と反対の立場に立つようにしたら、烈しい言い合いになって、たまたまやってきた別の友人が「お前たち、言い合いはやめろ」と止めに入ったというエピソードがあります。私と友人は〈対話的ゲーム〉をやっていたわけです。

ドイツの哲学者**ユルゲン・ハーバーマス**は、「真理」というものは、絶対的に存在するのではなく、理性的な対話のなかで把握されるものであるから、真摯《しんし》に対話をおこなうことで現代社会のさまざまな問題について解決の方法を合意として取り出すことができるはずだ、と言っています。互いに尊重し合いつつ、開かれた形で相互批判をし、言葉を尽くして理解し、合意する。これを〈**対話的理性**〉と呼びました。

プラトンの『ソクラテスの弁明』を読むとわかるのですが、**ソクラテス**はアテネの市民を相手に問答をしていました。それが世の中を混乱させると危険視されて死罪となりますが、ソクラテスは問答をふっかけて人々を怒らせようとしたわけではありません。〈問答〉〈対話〉を通して相手の考えと自分の考えの「接点」を見いだし、異なる考えや立場にある人と「共にある」ことを追求したのです。ソクラテスは〈対話的理性〉を実践していたわけです。弁証法では、矛盾点や問題点を統合しながら、高次の世界に進むことができることになっていますが、それは自動的に起こるものではありません。私たちが知恵を出し合って、止揚していかなくてはなりません。

西洋人は反論することが議論の基本と考えていて、「反論スポーツ」に鍛えられています。しかし、日本人は概してガチンコ勝負を好まない傾向があります。会議の場で、Aを主張する人に面と向かって、対立するBという意見をぶつけられる人はけっして多くありません。それどころか、対立や矛盾が起きないように気をつかい、Bという意見を見て見ないふりをする。よけいな波風を立てて人間関係を壊してしまいたくないという配慮が働いてしまう。あるいは、否定されると、すぐに意気消沈してしまう。しかし、弁証法的な概念からすれば、こうした態度は生産的ではありません。

アンチテーゼ、つまり反対意見を提示し、それを乗り越えるアイデアを見いだせれば、とてもクリエイティブな行為になります。対峙する立場に立って、矛盾や対立を乗り越えて、新しいアイデアを手にする。まさにノーサイドで、祝福すべき空間になります。新しい発想を与えてくれたアンチテーゼに感謝しなければなりません。

対立を乗り越えてクリエイティブな関係性をつくりだそう。

対話は一方的に自分の考えを言えばよいわけではありません。相手の話を聞き、相手の話に気づかされ、よいと思うことは取り入れていく行為でもあります。こうした弁証法的なやり方を実践できれば、お互いにとって新しい意味がその場で生まれます。

⑶⑸【胆力】プレッシャーに弱いからダメだと思っていないか。

繊細で敏感な性格の人ほど「胆力がある人」に憧れます。勝海舟が、「大胆識《だいたんしき》」があって、腹がすわっていて、ブレないと評した西郷隆盛。あるいは「武士道とは死ぬことと見つけたり」の『葉隠《はがくれ》』に表された武士の精神。憧れはするものの、そんな人間に生まれ変わることは、今さらむずかしいことです。

では、繊細で敏感な人は何をやっても一生プレッシャーに弱いままかといえば、そうではありません。精神の強さ、折れない心を〈胆力〉と言いますが、私は〈**どんな性格の人でも、プレッシャーに強くなることは可能**〉と考えています。

私は教職をめざしている学生に、〈**勝負どころできちんと勝負する**〉ようにと言っています。教員採用試験、とくに社会科は「狭き門」です。学生には、エネルギーと時間を大量に注ぎ込んで勝負しよう、あとがないと思って集中して毎日勉強しようと勧めています。現実には、そうしない学生も多いのですが、なかには目標を達成する学生もいます。やらない学生を見ていて感じるのは、本気で自分に賭けていないのではないか、自分への賭け金が低すぎるのではないかということです。人生の大勝負ですから、全財産を賭けるのは当然です。全財産を賭けているからこそ、真剣に勝負しなくてはという気持ちが芽生えてきます。「勝てるといいなあ」ではなく、**「絶対に勝つ、という思い」**が必要なのです。

勝負どころで勝負する集中力は、人生で一度は体験するべきです。要所要所で質の高い時間を過ごす人は、たとえ目標が達成できなかったとしても、自信をつかむことができます。真剣勝負を避けてしまった人は、中途半端な自信しか得られないので、チャンスが来たとしても、それをつかむ準備ができていないのです。

もちろん、勝負したからといって評価されるとはかぎりません。しかし、注いだ時間とエネルギーは裏切りません。集中力を大量に注ぎ込むと事態は変わると信じること、そしてすぐには変わらなくても必ず自分に返ってくると信じることで、胆力が身につくようになります。胆力をつくるには〈**自分に確固たる自信や軸を持つこと**〉が大切です。本気で勝負したという核となる体験を持つ、「俺は俺だ！」というコアな確信を持つことです。

胆力というのは一つの技なので、強くしていくことができると考えるべきです。大人になるということは、だんだん精神的にタフになっていくことですから、いつまでも精神が弱いと、子どもっぽいということになってしまいます。仕事においても、上司に注意されたり、お客からクレームがついただけで、ああ、もう自分はだめだというふうに落ち込んでしまったら、成長していけません。大人というのは成熟しているということであり、成熟しているということは、あたふたしないということであり、あたふたしないということは、まわりが見えていて、精神もタフだということです。

プレッシャーをともなう大きな仕事のときや、予期せぬトラブルのとき、精神がタフでなければ打ち勝つことはできません。トップ・アスリートたちを栄光へと導いたスポーツ心理学の第一人者**ジム・レーヤー**は『**メンタル・タフネス**』という本で、困難な状況下でストレスに対処し、力を最大限に発揮するための〈**強くてしなやかな心**〉をつくるメンタル・トレーニング法を、東洋の身体技法を応用して説いています。

ドストエフスキーは『**死の家の記録**』で、「人間というものは何にでも慣れる動物だというふうに定義できる」と言っています。最初は驚いても、慣れてしまえば、あとは驚かなくなるものです。そのためには、最初の体験で真剣勝負をしたかどうかが重要になります。中途半端な体験では、折れない心はつくれません。〈**全力で体験して、それが経験値になってはじめて胆力は鍛えられる**〉のです。

私が最初に雑誌連載をはじめたころ、突然、誌面をリニューアルするという理由で連載を終了しますと言われて、リニューアルとは連載が打ち切られるのと同義だと知ったことがありました。自分ではもう少しつづける予定でネタを増やしていたので、ショックを受けました。しかし、これは編集部が決めることで、自分がコントロールできない範囲のことですから、割り切って受け入れるしかありません。

胆力を鍛えるポイントは、割り切りにあります。自分のコントロールが及ぶ範囲であるかどうかをまず見極めて、コントロールが及ぶ範囲においては全力で努力し、勝負する。そして、人事を尽くして天命を待つ。序文でもふれましたが、西郷隆盛は「天を相手にせよ」と言いました。人の顔色など見ずに、天という大きなものを意識し、天に恥じることのない選択・決断をすることで、胆力が鍛えられたのです。

縮こまっていないで、世間に自分をさらしてみよう。

マイナスの指摘を受けると心が縮こまってしまいますが、自分の身を世間にさらすことに慣れてくると、平気になってきます。大切なのは、自分の身をさらす場を増やしていくことです。それが真剣勝負ということであり、胆力が鍛えられていきます。

⑶⑹【素読】声に出して読む伝統をないがしろにしていないか。

寺子屋で師範の声につづけて筆子《ふでこ》（生徒）たちが「子曰《しのたまわ》く〜」と『論語』を読み上げる。この〈素読《そどく》〉は江戸時代の勉強法で、何度も声に出して読むことで、体に覚え込ませることを目的としたものです。一見、非効率に感じるかもしれませんが、〈**文章を目で見、耳で聞き、声に出すことによって体に染み込ませた内容は、たんに目で読んで覚えたものよりも深く心身に刻まれます**〉。

小学生を教えているとよくわかるのですが、こまかい解釈を教えるよりも、およその意味を教えて、むずかしいものでもとにかく音読してみようとやると上達が早いのです。音読のメリットは、きちんと文字を追って読むので、むずかしいと思われる文章でも記憶に残ることです。黙読は、文章を飛ばし読みしたり、漢字が読めなくても案外ごまかしがききますが、音読ではそうはいきません。

脳科学者の川島隆太さんは、黙読は文字をとらえて視覚で覚え、そこに書かれている意味を理解する。一方、それを声に出すのは、理解した文章の情報を音に変換する、口を動かす、息を出す、自分の声を耳で聞くといった二重、三重の機能が働くことになるので、それだけ脳活動が活発になる、と説いています。

　私は、寺子屋の素読の教材の『金言童子教《きんげんどうじきょう》』や『実語教《じつごきょう》』の解説本を出版しましたが、江戸時代はそうしたむずかしい漢文を小学生にあたる年齢の子どもたちが、先生のあとについて復唱していました。意味がわからなくても、とにかく繰り返すのが素読だと言う人がいますが、それはちがいます。江戸時代に出版されたものには絵が入っていたり、語句の説明があったりして、意味がくみ取れるように工夫されています。

　思想家の**唐木順三**さんは『**現代史への試み**』という著作で、明治の文豪たちを〈**素読世代**〉と評しています。夏目漱石、森鷗外、幸田露伴といった人たちは、素読によって体に日本語をたたき込まれた世代です。儒教的なものを『論語』の素読によって学び、日本人の心を『平家物語』の素読によって学ぶというぐあいに、幼いころから素読の徹底訓練をしたことで、日本語をきわめ、精神をつくりあげていきました。

　彼らに先立つ福澤諭吉も素読世代の一人です。諭吉は洋学者ですが、幼いころに当時の教養である漢文を素読によってたたき込まれました。孔子の編纂と伝えられる歴史書『春秋』の注釈書『春秋左氏伝《しゅんじゅうさしでん》』を小さいころに何度も素読して、完全に身につけています。ですから、福澤諭吉は一生、漢文調の文章を書かせても上手でした。諭吉はオランダ語や英語といった外国語を学ぶとき、漢文の素読が役に立っています。なぜなら、そもそも漢文自体が外国語ですから、外国語慣れしていたと言えるのです。

幕末から明治の人たちを〈素読世代〉とすれば、その後、大正生まれぐらいになってくると〈教養世代〉になってきます。知識はあるけれども、体に刻み込んでいるわけではない。戦後になると、素読自体が「頭ごなしの一方的な教育」「非民主主義」と非難され、排除されてしまいました。ようやく冷静さを取り戻して『論語』の素読が見直されるのは、戦後五十年を経たころからです。そして今は、素読世代でもなければ、教養世代でもない。あえていえば、〈スマホ世代〉〈SNS世代〉でしょうか。

『論語』には二千五百年前の孔子の精神が詰まっているので、それを音読、素読することによって孔子の精神が体に刻み込まれます。漱石の作品を音読すると、漱石の精神が体に染み込みます。きわめつきは聖書です。神の民イスラエルは三千年以上前から、「神の言葉」を朗読し、素読してきました。「口ずさむ」「唱える」「読み聞かせる」「歌う」「口で告白する」ことをしてきました。そうやって聖書の精神を共有する。精神を共有するプロセスがあると、精神が強化されます。イスラエルの民の強靭《きょうじん》さはそこにあります。

これがコーランになると、素読でしか理解できないと断言できます。岩波文庫の『コーラン』の訳者でイスラム学者の井筒俊彦さんは、コーランはどんな経典にもまして、著しく視覚的で聴覚的な経典であり、隅から隅まで視覚的イマージュに満ちている、誦《ろう》すればたちまち高らかに鏘々《そうそう》と鳴り渡る不思議な響きを蔵している、と書いています。コーランは歌のように詩のように音読・暗誦すると不思議な魅力になって気持ちよくさせてくれる。意味だけを汲み取っても本当のところはわからないのです。

『声に出して読みたい日本語』は音読・暗誦のテキストという観点で出版しました。ベストセラーになったおかげで、『にほんごであそぼ』という番組をＮＨＫでやることにつながり、幼児番組として日本中の子どもが見ているので、素読のよさが『にほんごであそぼ』を通じて広まっていくことになり、たいへん嬉しく思っています。

素読を実践して、精神の糧を持とう。

私たちは精神の糧となるものを持っているか。そのための方法を実践しているか。今の時代は精神の弱い人が増えています。素読を通して、その精神を心身に刻み込むことで、精神が安定し、毎日の気分の上がり下がりにわずらわされることが少なくなります。

(37)【マインドフルネス】Mindfulness
今という時を生きているか。

〈**マインドフルネス**〉という言葉を耳にしますが、これはマサチューセッツ大学医学部名誉教授の**ジョン・カバット＝ジン**が主な提唱者です。

もともとはパーリ語のサティ（sati）という仏教用語で、英語では〈**マインドフルネス**〉、日本語では〈**気づき**〉などと表現します。

今この瞬間に起こっていることに気づき、よけいな判断を加えずに、自分の人生がかかっているかのように真剣に意識して注意を向ける、これがマインドフルネスです。そのことによって、自分の感覚がフルに行き渡っている、覚醒した状態がもたらされます。覚醒というと覚醒剤をイメージしますが、覚醒は、ぼーっとしていないで、〈**感覚や知覚が開かれている**〉という、いい状態のことを言います。

〈**その一瞬に全力を傾ける**〉マインドフルネスは、自覚、集中などと言い換えることができますが、その反対はマインドレスネスです。思慮がない、注意散漫、集中力の欠如です。

マインドフルネスという、感覚や知覚が覚醒した状態をつくっていくときに効果のある方法の一つが、瞑想《めいそう》です。瞑想はインドを中心として世界中に広まったもので、何かに心を集中させること、心を静めて無心になること、目を閉じて深く静かに思いをめぐらすことです。ヨガも瞑想法の一つです。

集中力を研ぎすます脳のトレーニングとして、マインドフルネス瞑想という「行為」があります。呼吸のエクササイズといって、腹式呼吸で、通常より呼吸を意識することによって、瞑想後も長いあいだ、「マインドフルな状態」でいられるようになります。マインドフルネスの状態にあるときは、自分のまわりで起こっていることに意識を完全に集中できています。

今、アメリカの大学などでもマインドフルネスの授業がおこなわれています。従来、瞑想は宗教とセットになっていたところがあって、大学での講義になじまない面がありました。そこから宗教色を除いて、より実践的にしていこうということで、大学、あるいは企業でも取り入れられるようになっています。

瞑想、マインドフルネスというと、宗教的あるいはスピリチュアルなイメージがあります。たしかに瞑想は仏教に源流がありますが、脳科学の観点から見て合理的なメリットがあることがわかり、アメリカの企業では社会的にも経済的にも利益があるとしてマインドフルネスを積極的に取り入れています。

マインドフルネスの概念では、マインドフルとは、良い・悪いなどの価値判断をすることなく〈**今この瞬間に注意を向けている心の状態**〉のことですから、禅もマインドフルネスの手法の一つです。禅に〈**前後際断**《さいだん》〉という言葉があります。わかりやすく言えば、〈**過去を気にするな。未来を憂うな。今に思いをはせろ。今を生きろ**〉ということです。過去にとらわれて生きている人は今を生きていない。将来のことで心配しすぎている人も今を生きていないことになります。

今に生きているのだから、今に生きているのは当たり前だろうと思いがちですが、私たちは後悔や先の不安に支配されやすい存在です。これで失敗したらどうしよう、こんなにうまくいくはずがない、今までだめだったのだから、この先もだめかもしれないと思い込むのは、マインドフルネス的ではないことになります。

今という瞬間を生きることを積み重ねていくということでいえば、たとえば引退した野球のイチロー選手のように超一流になると、一回一回の打席に集中することの積み重ねによって三千本安打にまで到達したわけです。

カバット＝ジンが書いた『**マインドフルネス　ストレス低減法**』という本には、

たとえば時間の束縛からの解放ということが唱えられています。時間の束縛から抜け出すためには、①何が必要なのかを見定める、②現在という時間のなかで生きる、③瞑想をおこなう、④生活をシンプルにする、という四つの方法が挙げられています。その項目の最後に、あるジャーナリストがマハトマ・ガンジーに質問する場面が引用されています。「あなたは少なくとも毎日十五時間以上働く生活を五十年もつづけている。そろそろバケーション（休暇）を取ってもいい時期だとお思いになりませんか」。それに対してガンジーは「私の生活はいつでもバケーションです」と答えました。

このエピソードについてカバット＝ジンは、「そもそもバケーションという言葉は〝何もない〟〝空いている〟という意味です。常に現在という時の中だけに存在することができれば、時間の束縛から抜け出して、すべての時間を自分のものにし、充実した人生をおくることができるのです」としめくくっています。

健全で安定した心を手に入れよう。

マインドフルネスをおこなうことによって、自分の身体や意識に敏感になり、ストレスに強くなり、集中力が持続するようになり、記憶力がよくなり、決断力が研ぎ澄まされます。そして、他者への配慮も深くなります。

(38) 【通過儀礼】 *Rites de passage*

通過儀礼をないがしろにしていないか。

バンジージャンプは、南太平洋のバヌアツ共和国の「ナゴール」と呼ばれる儀式が起源だそうです。成人男性と認められるには危険なジャンプをしなければならない。文明化されていない共同体では、バンジージャンプ、割礼《かつれい》、刺青、猛獣狩りなど、身体的な苦痛や危険をともなう儀式に参加することが、大人としての能力・覚悟を持っていることの証明となっていました。これが〈**通過儀礼**〉（英語では「イニシエーション」）です。この通過儀礼は、フランスの民俗学者**アルノルト・ファン・ヘネップ**が提案した概念で、出生、成人、結婚、地位の昇進、死など、「共同体に所属する個人が、ある状態から他の状態へと移行するときに、キリスト教の洗礼と同様に通過のために執りおこなう特別な儀礼」と説いています。

日本でも、武家社会の時代に、一人前の成人になったことを証明する通過儀礼として元服《げんぷく》がありました。現代の成人式とは異なり、信賞必罰の社会的責任（生死の覚悟）がよりいっそう厳しく問われる武士の儀礼で、男子は腹掛けをやめてふんどしを締めるなどしました。子どもが通過儀礼を経験することによって、それ以降は大人としての処遇を受けることになるわけですが、宮参りや七五三などのように今に生きる儀礼もあれば、身体的な苦痛や危険を問題視する人々の意識や社会構造などの変化とともに、すたれていったものも少なくありません。

〈**通過儀礼が少なくなったことで、今の社会では大人と子どもの境界線があいまいになっています**〉。

しかし、現代版の通過儀礼もあります。たとえば受験。一学年に二百万人いた時代は、受験はまさに戦争でしたが、近ごろは、子どもの数が減って、大学全入時代になっています。しかし、明治大学でも、一般入試を乗り越えて入学してきた学生に言わせると、推薦ではなかったので、受験勉強は大変だったけれども、そのつらい経験がすごくよかったと言う人が多いのです。受験が通過儀礼になっているわけです。

結婚も同じです。一九六〇年代前半には、国民の九八パーセントが一度は結婚していたので、とくに通過儀礼として意識することはありませんでしたが、今のように男子の四人に一人、女子の七人に一人が五十歳までに一度も結婚経験がないとなると、逆に結婚の通過儀礼としての側面がクローズアップされてきています。

通過儀礼は、社会からの圧力、強制力によってやらなければいけないからやるという側面があります。しかし、そんな強制はよくない、圧力のない社会こそが理想であるからと、通過儀礼をないがしろにする風潮がありますが、〈**通過儀礼を乗り越えたおかげで大人になる**〉ということがあるので、その意義を大切にしたいものです。

受験勉強一辺倒ではなく、部活動でもがんばったというのも、ある種の通過儀礼で す。あるいは、大学の卒業生に話を聞くと、社会人になって三年間くらいは大変だっ たという答えが返ってきます。しかし、日本の会社は教育力があるので、三年も勤めると立派な社会人になります。入社三年目あたりまでが、社会人になるための通過儀礼になっています。逆に、大学を出て、その後、就職しないで三年、五年と過ごしてしまって、どこの組織にも所属していない人は、どこか浮ついていて、根が下ろせていません。通過儀礼を受けないで二十代を過ごすと、三十代になって大きな壁に直面することが少なくありません。

真鍋昌平さんの漫画『闇金ウシジマくん』に、「鬱《うつ》ブログ」を書いている三十五歳になるフリーターの宇津井が登場します。両親の家で暮らし、親から小遣いをもらい、両親に向かってキレる。借金が膨らむ一方なのにギャンブルがやめられない。ホームレスになったりと、いろいろあったあげく、親が病気になるなかで、自分でなんとかして借金を返していこうと思うようになる。この話は自己形成小説的です。

自己形成小説といえば、ロマン・ロランの『ジャン・クリストフ』という長篇小説があります。貧しい音楽一家に生まれた主人公のジャン・クリストフが、人間として、芸術家として、不屈の気魄《きはく》をもって、生涯、真実を追求しつづけるという物語です。

この小説を大学生と読んで、大人になるプロセスで踏まなければならない段階を考えてみたことがあります。一人暮らしをしたことがあるか、異性と付き合ったことがあるか、アルバイトをしたことがあるかなど、十段階ぐらい挙げて、その階段を何段登ったかをチェックしてみようということで、リストを作ってみたのです。この**〈通過儀礼リスト〉**〈イニシエーション・リスト〉をもとに、この三年間を見渡してみたら、自分は通過儀礼的なものを避けてきた、逃げてばかりいたのではないかなどと、学生たちは自分が見えてきました。

☞ 自分なりの通過儀礼を設定して、挑戦しよう。

燃え上がる炎の前で全身全霊で願いを込めて唱える護摩行《ごまぎょう》という修行がありますが、通過儀礼を自分をつぎのステージへとステップアップさせる修行と考えて乗り越えていく。この乗り越え感が得られると、精神が強くなります。

(39)【過剰性】Excès
過ぎたるは及ばざるがごとしと思っていないか。

「過ぎたるはなお及ばざるがごとし」と孔子は言っています。やりすぎがよくないのはそのとおりで、中庸（八五頁を参照）が一番いいということになります。しかし人生を見渡したとき、とくに若いうちは少しやりすぎた方がいいということも言えます。飲みすぎてみて、はじめて酒量がわかる。遊んでみて、こんなに遊んでいたのではだめだとわかる。仕事をやりすぎて、こんなにやると体を壊すという限界がわかる。〈**やりすぎてみてはじめて適正というものの感覚がつかめる**〉ということがあります。

ところが、今は、やりすぎる手前で自制してしまう風潮があります。少なめに少なめにご飯を盛るといった感じです。そんな風潮に対して私は、〈**もうちょっと全身からみなぎるエネルギーを表に出してみよう**〉と提案しています。たとえば、英語の先生になりたいという学生のクラスで、英語でどれくらい書いたことがあるかを聞くと、せいぜいA4で一枚ぐらいだという。じゃあ、ちょっとやりすぎてみよう。やりすぎてみると自信がつくから、Ａ４で十枚ぐらい書いてみよう。英語で十枚も書くのは大変ですが、写真入りでもいいし、好きなテーマで書いていいことにする。

するとある学生は、居酒屋の「鳥貴族」が好きなので、そこのメニューについて、こういう観点からするとベストスリーはこれです、というのを英語で説明するようにしたら、あっという間に枚数がふくれあがりました。

別の学生は新垣結衣が好きで、初期の『ドラゴン桜』のガッキーと、のちの『逃げるは恥だが役に立つ』のガッキーを比べてみたら、すらすら英語で書きつづけられたということがありました。

本もそうです。とりあえず一週間に新書を五冊読んでみようと私が言うと、学生は腰が引けますが、やってみると、意外にこなせて、当たり前のことになります。

じつは**〈過剰ぐらいがちょうどいい〉**のです。会社の採用試験で企画書を作って持ってくるようにという課題が出たとき、ふつうなら、せいぜい三本か四本ですが、ある学生は五十本も持っていって、大手出版社に採用されました。競争率が百倍、二百倍であろうとも、過剰なエネルギーというのは人にアピールするところがあります。

過剰といえば、手塚治虫の仕事量は半端ではありません。とても人間ができる仕事量ではないと思いますが、そのエネルギーがあふれる感じが、漫画を通して世の中を活性化していくことになったわけです。

ドストエフスキーの小説には、過剰な人ばかりが出てきます。私はドストエフスキー作品の過剰な人物のエネルギーを伝授するという観点で『過剰な人』という本を出したことがあります。登場人物がしゃべりすぎる、コンプレックスが強すぎる、誠実すぎる、好色すぎるなど、良い面でも悪い面でもオーバーフローしています。過剰の人間見本市です。そして、なによりドストエフスキー自身が、政治運動でシベリア送りになったり、賭博に熱狂したり、愛人に狂ったりと、過剰に「情熱の燃え上がるごった煮男」でした。

ここまで過剰ではなくても、過剰なのはよくないから控えめにしておこうとか、やめておこうというように自主規制しないことが大事です。そもそも日本人は穏やかな国民性ですから、すこしくらい過剰でもいいのです。

関東の人間から見ると、大阪人は過剰なところがあるように映ります。言葉の数が多いし、すぐに突っ込んでくるし、人を巻き込んで面白くしようとする。ギャグなどでも、どんどんぶち込んでくるので活気があります。

私はかつて大阪の情報番組『ちちんぷいぷい』に出ていたのですが、新喜劇の役者さんがやくざ風に「どうなってるんや！」みたいに怒鳴り散らす。すみませんって相手が謝ると、あっけなく「いいよ〜〜」って許してしまうギャグがあります。ワンパターンなのですが、一回はまるとたまらなく面白くて、とにかくやりたくなってしまう。大阪のこてこての過剰な感じがよく表れています。

ソースにたとえると、かけすぎという感じでしょうか。健康のためには少なめがいいわけですが、社会が活気を持つためには、誰かがちょっとずつ過剰にやっていることが必要です。

かつてソニーは、みんなが遊び感覚で過剰にやって、それを研究開発へとつなげていきました。ル・マンで優勝してやると宣言するなど、ホンダの本田宗一郎も過剰な人で、彼の過剰さと天才ドライバーのアイルトン・セナの過剰さとがハイブリッドしたことで、Ｆ１での優勝につながっています。

もっと人生を過剰に行動しよう。

今の日本人は、全身からみなぎるエネルギーが減ってきています。「過剰性」＝人間のパワーであり、これを理解すること＝人間を理解することです。過剰な人々は一緒に付き合うにはクセが強すぎるわけですが、人間がエネルギーを失っている今の日本では、こういう「クセを味わう」ことが必要です。

(40)【美意識】自分の利益ばかりを追求していないか。

かつて、サブプライムローンの破綻に端を発したリーマン・ショックがありました。サブプライムローンは金融工学の天才たちがつくった怪しげな金融商品で、全世界からお金を集めたあげく、爆裂してしまいました。

もうけた人は勝ち抜けというか、もうけたものは返さない。法律違反ではないかもしれないが、彼らには〈**美意識**〉があるのか。自分だけもうかればいいのか。いや、そうではないだろうと思います。

日本人は世界のなかで美意識が突出していると言われます。善悪という理屈よりも、〈**美を尺度として生きてきた**〉。美意識が人々の生活と行動様式を律してきました。武士道も恥の文化も美意識の表れですし、負けの美学、敗者の美学というのもあります。

戦後詩の代表的な詩人である石原吉郎さんの著作に、日本人による『夜と霧』とも称される『望郷と海』があります。シベリアに抑留されたとき、捕虜が五人並んでいて、よろけると後ろから銃で撃たれる。そうならないために、みんな一番よろけやすい端を避けて真ん中に立とうとします。ところが鹿野さんという人は、危険を顧みずに必ず五人の一番端に立った。それは彼なりの生き方の美意識というか、倫理観です。〈**美意識がそれぞれの生き方の価値を決める**〉と言えます。世の中が激変するなか、今、あなたにはちゃんとした美意識がありますか、美しく生きるという感覚がありますか、ということがあらためて問われています。

美意識を持って生きるというのは非常に大切なことです。経済を偏重して、そのためにはやり方は何だっていい、それどころか、働かないでもうかるのが一番頭がいいやつだと考えたのがバブル経済でした。働かないでももうかる手があるのだと、日本人が勘違いをしてしまったわけです。

銀行融資を元手に不動産を転がして三千万円のマンションを一億円で売り抜いて利ざやを稼ぐ。これがバブル経済の典型的なやり方でしたが、金銭的な不良債権だけでなく、精神の不良債権にもなったと私は考えています。日本人はまじめに働いて今を築いてきたのに、まじめに働いたら損をする。そうした美意識の欠如が生まれてしまったわけです。

美意識とは何かを考えたとき、たとえば道ばたに唾を吐くことは、それがマナーに反するからやらないのではなく、自分の美意識に反するからしないというときに、真の美意識、倫理になります。

「武士は食わねど高楊枝」というのも美意識の一つです。お金なんかなくても別にかまわないという「やせ我慢」です。福澤諭吉は勝海舟と榎本武揚《たけあき》に、「瘠《やせ》我慢の説」を手紙にして送っています。旧幕臣であるなら、なぜ手のひらを返すように新政府に仕えているのかと二人に迫ったのです。福澤諭吉は文明開化の人ですが、武士の美意識を終生大事にした人です。

二二八頁でとりあげるように、哲学者の**九鬼《くき》周造**は『**「いき」の構造**』という本で、粋《いき》に生きることは日本人の持っている生き方の美学、美意識であると言っています。九鬼に言わせると、粋とは「色気」（媚態《びたい》）を「心の強さや張り」（意気地）と「垢抜けした態度」（諦め）で抑制した絶妙なバランス状態のことを言います。

粋というのは、「ちょいと粋だねえ」というのもありますが、ここで言う粋は、「**自分の生き方の美意識から外れていないかどうか**」ということです。

生きるうえでの美意識を持っていますかと問われたときに、「えーと～」と躊躇する人は、自分なりのキーワードをつくるといいと思います。「地道」がキーワードだとすれば、「生涯、地道に生きる」を掲げて、派手に生きるのもかっこいいかもしれないが、自分は地味でいくと生き方を定めるというようにです。それぞれが自分の気質に合ったものを美意識として持つと長続きしやすいのではないかと思います。

そのためには、生き方の価値観が自分に合う人を見つけていくといいと思います。

棟方志功というエネルギッシュな版画家は、ゴッホの絵を見たときに、自分はゴッホになると決めた。それを詩人の草野心平が「わだば　ゴッホになる」という詩にしています。「ゴッホにならう《(ろ)》として上京した貧乏青年はしかし、／ゴッホにはならずに、／世界のMunakataになった。」——棟方志功は自分の美意識がゴッホとシンクロしたのだと思います。ゴッホをめざしてやっていったら、世界の棟方になったというわけです。自分の美意識にフィットする、これぞという人を見いだして、その背中を追いかけていくと、自分の方向性が見えてきます。

利益より自分の生き方を優先して考えてみよう。

美意識とは自分なりの生き方のルールです。自分の利益より自分の生き方・美学を貫く人を先覚者ととらえ、ならうことによって、自分の方向性を見いだすことができます。世の中の人の好感度などを気にせずに、自分の生き方の原理・原則を貫きたいものです。

(41)【単独者】Der Einzelne
人とつるむことで安心していないか。

キルケゴールは『**死に至る病**』で、キリスト教的な神の前にただ一人向き合う者を〈**単独者**〉と呼んでいます。私は自分の授業のシラバス（講義・授業の学習計画）に〈**単独者として、門を叩け**〉と書いています。以前からの友だちと授業に出席して、その相手とだけ話をして、ディスカッションでも、友だちと離れられない学生がいます。そういう人はえてして伸びにくいのです。

〈**人というのは、自分一人で行動してはじめてわかってくることがあります**〉。友だちがいるのはいいことですが、授業を受けるときに単独者として受けている感覚がないと、たとえば四人一組でディスカッションするとき、三人が友だち同士でつるんでいて、そこに知らない学生が一人入ると、うまくいかないことが多いのです。

〈**つるんでばかりいるのがクセになっている人は、真に自分を伸ばす機会を失ってしまっています**〉。人とつるんでいれば安心と思うのは、じつはきわめて危険なことです。人とつるんで一緒なら安心と思っていないか。何をするにも人と一緒でないとちょっと不安に感じていないかを、自分に問うてみる必要があります。

私がこんなふうに言えるのは、私自身に「暗黒の十年」があったからです。現役での受験に失敗した十八歳から大学に職を得るまでの孤独の年月でした。しかしこの期間に、質量ともに、日本でこれ以上勉強をしているやつはいないぐらいに勉強をしました。私は非社交的な人間ではありませんが、何かを成そうとすれば、単独者となって自らを鍛えていくことがどうしても必要だとわかっていたからです。

ニーチェの『**ツァラトゥストラ**』は〈**単独者の勧め**〉と言っていい本です。これは私の道だ、じゃあ、君たちの道はどこにあるのか。万人の道はないのだから、単独者になれ。一度は強い風の吹くところに一人で立ってみろ。そうしたら、自分が強くなる、と言っています。〈**自分というものに向き合う、自分の弱さにも向き合って、自分で決断を下す。そうすることが本当に人間を強くする**〉のですが、みんなで決めようとすると、往々にして誰も責任をとらないシステムになり、前の人が決めたのだから、それを踏襲しようということになってしまいがちです。

昔のことになりますが、日清戦争後に日本が清とのあいだに下関条約を結んで、中国から遼東《りょうとう》半島を獲得することに合意しました。ところが、ロシア・フランス・ドイツの三国が干渉したため、結局、遼東半島の権利を放棄しました。このとき日本政府は「臥薪嘗胆《がしんしょうたん》」を掲げて国民の怒りをロシアに向けたのですが、外相の陸奥宗光は首相の伊藤博文と二人だけで決断したことを、自身の『蹇蹇録《けんけんろく》』という外交記録に書き残しています。

『岸信介証言録』には、一九六〇年の日米安保条約の改定という難題に直面したとき、最終的には総理である自分が決断するしかない、と記されています。戦前だったら天皇にお伺いを立てることもできたが、戦後はそれもできない。総理というものはじつに孤独なものだということを、岸信介は『証言録』で言っています。日本のその後を左右する日米安保条約の改定を決断する。国会の周辺では、烈しい反対運動が起こっている。それでも、決断した。その後の六十年余は日本は平和でいるわけですから、岸信介の判断というのは間違っていなかったのだろうとは思いますが、それは今から振り返って言えることで、そのときに決断するには勇気がいったと思います。

「単独で行動できる人」＝「協調性がない人」ではありません。スポーツなどでチームがうまく機能しない場合、メンバー同士がもたれ合っていることが多いのです。一人になればちゃんとできるのに、つるんでしまってレベルが低くなってしまう。チームを結成して、協力し合う強さが生まれるのなら、１＋１が２以上の関係になるのでいいのですが、往々にして、互いにもたれ合って、気持ちがゆるんでしまう。人に頼ってばかりいて、自分の道を意識しないで、なんとなく乗っかっているつもりになってしまう。それぞれが単独者として参加してはじめて、協調性が生まれ、強いチームになるのです。

私が勇気を持って単独者になってみようと言うのは、一人の時間をリラックスして過ごそう、自分自身を癒そうという主張ではありません。独りの時間というのは、エネルギーを溜めこむための〈充電期間〉です。**〈独りで過ごす時間のあいだだけに育つエネルギーがある〉**のです。能動的・積極的に単独者となって自分を磨くと、人としての深みが生まれます。**〈もっと自分自身に向き合う時間、自分の技量を深めていく時間を持とう〉**というのが、私が言いたいことです。

勇気を持って単独者になってみよう。

群れてしまうと、勉強するにしても何をするにしても、他者が何を思っているかが気になったり、他者がしていることに流されてしまい、自分磨きをまっとうできません。自分を鍛えるためには己《おのれ》と向き合い、己を磨くことが大切です。自分を磨ける者こそ、真にクリエイティブになることができます。

(42)【浄化】Katharsis
些細なことで感情的になっていないか。

〈**カタルシス**〉（Katharsis）はギリシャ語で「**浄化**」「排出」「排泄《はいせつ》」を意味する言葉です。身体的な意味の排出と同時に精神的な**浄化作用**を意味している点で、広がりのある概念です。

世の中がさまざまに厳しさを増している昨今、「好きじゃないともたない」「〝好き〟が伴わないと仕事ができない」と言われるようになったのも、がまんすればなんとかなるでは通用しなくなったからです。そうした状況で、私は〈**心の自己浄化という構え**〉が必要だと思います。「タフ」というと最初から動じないという感じですが、タフであるかどうかより、〈**自分で処理する構えを持っているかどうか**〉が大事です。

自分の心にもやもやを抱え込みすぎていないか、もやもやしたままでぐずぐずすっきりしない日々を送っていないか。そうならないために、自分の心の中のもやもやを処理できる〈**浄化作用を身につける**〉ことが必要です。

演劇や映画を観て泣くとすっきりすることがあります。**アリストテレス**は『**詩学**』という著作で、悲劇とはあわれみと怖れを通じて感情の浄化（カタルシス）を達成するものである、と定義しています。なぜ人は『オイディプス王』のような悲劇を観るのか。悲しいものを観たら悲しくなって落ち込むのではないかとふつうは思いますが、そうならないのは、悲劇には否定的な感情を流し去る浄化作用があるからです。

評論家・劇作家の**福田恆存**《つねあり》はアリストテレスの『詩学』での主張をふまえて、芸術が果たすべき役割、効用の一つは感情の浄化であるとして、「芸術作品において意味などというものは第二義的なものであり、単なる副産物に過ぎません。古典が常に新しいゆえんは、それが人間性の本質に通じたカタルシスの効用を持っているからであります。浄化排泄の作用は一度だけで済むものではなく、何度でも要求されるものだからであります」と言っています。

歌舞伎役者の坂東玉三郎さんと対談したとき、本当に悲しいといっても、それが汚いものではだめで、美しい悲しみにして見せるのが芝居というものだとおっしゃっていました。江戸時代の近松門左衛門の心中物『曾根崎心中』。「この世の名残り、夜も名残り。死に行く身をたとふればあだしが原の道の霜。一足づつに消えて行く夢の夢こそ哀れなれ。あれ数ふれば暁の、七つの時が六つ鳴りて、残る一つが今生《こんじょう》の、鐘の響きの聞き納め。寂滅為楽《じゃくめついらく》と響くなり」。鐘がゴーンゴーンと鳴るなか、心中の道行きへと向かう。二人は純愛を貫こうと思うが、世間のしがらみに追いつめられて死を選ぶ。これを文楽の人形が演じる。不条理な悲哀なのですが、観客はこの純愛を観て、世間に苦しんでいる自分も洗い流されて、涙とともにすっきりする。日本に心中物という分野が根づいたのは、カタルシス、浄化作用を起こす力があるからです。

映画にも浄化作用があります。ミュージカル映画『ラ・ラ・ランド』。ふつうの生活では突然歌い出すことはないわけですが、しかし、本当にやりたいことを見つけたときとか、本当に好きな人に出会ったときの気持ちの高揚感、あるいは高い壁にはばまれて苦しんでいる気持ちを、歌が表現してくれることで、見終わったときに、自分の心がすっきりするわけです。アニメ映画『君の名は。』を観て、自分の中でもやもやしているものが、すごく美しくすっきりする。美しくすっきりするのが芸術というものです。ですから芸術は、自分の代わりに心の整理をしてくれたり、自分の代わりにわだかまっていた塊みたいなものを排泄してくれる作用を持っているわけです。

そうした文学や演劇や映画を生み出す芸術家自身には、創作の苦しみがあります。『人間失格』は読後感が悪いとは必ずしも言えません。太宰治は人間の弱さを描いていますが、読んだからといって落ち込んでしまうとはかぎりません。むしろ、自分の中にある人間失格的な要素がシンクロして、それを同時に洗い流してくれます。

自分の心を楽にしよう楽にしようと思って、楽な方に行くのもいいのですが、厳しく生きている芸術家やその作品に触れると、かえって楽になります。自分にとって心地いいものだけではなくて、悲しいときにはあえて悲劇を観ることで、意外に心が洗われることがあります。あるいは、非常な困難に出会って苦闘したドキュメント本を読むと、かえって心が洗われるということがあります。

私たちは、周囲と衝突せず、誰も傷つけず、誰にも傷つけられず、怒りも焦りも不安も持たず、心穏やかに過ごしたいと願います。しかし、些細なことで感情的になるのも事実です。そんなときに、心を鎮める芸術作品があれば、感情を浄化する、つまり心のフィルターの目詰まりを洗い流し、感情をコントロールすることができます。

心の目詰まりを洗い流す構えを持とう。

心の浄化には、心の目詰まりを洗い流す構えが大事です。カタルシス（浄化）という考え方を日常で習慣化すると、「とにかく排出しよう」と意識するようになります。「日々の生活の中にカタルシスがちゃんとあるか」は精神の健康チェックになります。

(43)【祝祭】Festival
人生は単調でつまらないと決めつけていないか。

〈祝祭《フェスティバル》〉は、祝いや祭りのことですが、フランスの哲学者・思想家の**ジョルジュ・バタイユ**によって学問的な概念となりました。

バタイユは**『呪われた部分　有用性の限界』**という著作で、人間の欲望はどんどん増殖する〈過剰性〉をもっている。人間が心から充足感や生き甲斐を感じるためには、この過剰性を思いっきり放出する（消費・蕩尽《とうじん》する）ことでバランスをとる必要がある。それが祝祭というものだと説いています。

祭りというのは、その日のために溜め込んだエネルギーを放出する行為です。まさに「踊る阿呆《あほう》に見る阿呆、同じ阿呆なら踊らにゃ損々……」というのが祭りです。神輿《みこし》を担ぐのは、全員が汗をかき、声を出し、リズムを合わせることで成立します。体がぶつかり合っても気にしないし、誰が重たい思いをしているとか、声は出しているけれどちゃんと担いでいないというふうに個々人の分析もしません。神事ですから、担いだからといって利益が得られるわけではありません。損得勘定なしに、全員で盛り上がることが目的なわけです。

ですから、経済的な利益や損失という観点から〈過剰な蓄積〉にとらわれていると、充実や喜びをもたらす快楽やハレを体験することができません。

祝祭的に盛り上がるといえば、大学の卒業式の夜に私のところでは卒業生が集まります。OBも含めて三十人から五十人が集まって、大いに盛り上がり、最後には泣いたりします。大学生にもなって卒業で泣くなんて、彼らは本当に幸せだなと思います。

私が東大を卒業するときは、そんな幸せな祝祭空間はありませんでした。東大法学部というところは、みんなすごく勉強して、わりと淡々と卒業していきます。授業も祝祭的というより、頭のいい先生がひたすら百分間しゃべり、それを優秀な学生がひたすら聴くという、真面目な学習空間でした。

幼児は祝祭の達人です。二歳児、三歳児の好奇心はすさまじいものがあります。目にするもの、耳にするもの、あらゆることに関心を向け、「これは何？　どうしてこうなの？」と聞いてまわる。新しいものを発見したら、それで遊べないかを工夫し、言葉も率先して学習する。いわば〈**知恵に対して踊っている**〉〈**すべてを祝祭している**〉状態です。幼児はまさに、オランダの歴史学者ホイジンガの言う「ホモ・ルーデンス」（遊ぶヒト）です。

ところが、この祝祭感覚は、大人になるにつれて薄れていきます。ですから、祝祭化は大人にとって再訓練が必要な技なのです。

この再訓練がうまくできていないと、何か面白いことがないかと、うずうずした気持ちになったり、最近、エネルギーが流れるような感覚を味わっていないと感じて、人生って単調でつまらないと思うようになってしまいます。

私はよく、〈**祝祭**〉あるいは〈**祝祭感覚**〉という言葉を口にします。〈**出会いの時を祝祭に**〉を座右の銘にもしています。

私は仕事も勉強も、人生における〈祝祭〉だと考えています。〈**新しい仲間と出会い、新しいアイデアを考え、新しいモノを生み出す。新しい意味が生まれる場所は、すべて祝祭の場となります**〉。それを祝う心で、何事にも上機嫌で相対することができれば、いつしか小さい自分を乗り越えていくことができるはずです。

〈**新しい価値を生み出す行為と、それを分かち合う時間が本当の祝祭**〉です。ですから、「場を盛り上げて楽しむ」という身体感覚を大事にしたいものです。周囲の人間を引き立てたり盛り上げたりするのには多大なエネルギーを要しますが、このエネルギーの放出が快感として感じられれば、祝祭空間の作り手になれます。

組織などの場を盛り上げることは、自分への誇りや幸福感にも直結します。それが仕事のやりがいとなり、自分を励ます力にもなります。

祝祭空間をつくることは、けっしてむずかしくありません。要は、祝祭の身体感覚を忘れたチームのメンバーに、子ども時代の遊びの喜びを思い出させればよいのです。**〈クールに意思決定し、ホットに場を盛り上げる〉**。そんな**〈頭寒体熱〉**が理想型です。

プリクラというアイデアが出たとき、写真に撮ってそれをシールにできる、それって面白いかもと開発チームが盛り上がった瞬間というのは、祝祭だったと思います。

くまモンもそうです。キャラクターとしての面白さも備えていますが、基本的に商品などに自由かつ無償で使っていいとしたことで、くまモンとの出会いの機会が格段に広がり、さまざまな祝祭が生まれ、結果的に熊本をアピールするのに大いに貢献することになったわけです。

クールに意思決定し、ホットに場を盛り上げよう。

人と出会う、アイデアに出会う。何かと何かが出会って新しい意味づけができると、「おっ、面白いぞ」となります。それを祝祭化するために、手を叩いて拍手するなど、エネルギーを放出して場を温めることが大事です。

⑷4【侵犯】Violation 安全地帯にとどまってばかりいないか。

ジョルジュ・バタイユに『エロティシズム』という著作があります。人間は自らのうちにある過剰な暴力性、衝動を抑えることによって自然に反抗し、人間となった。この〈**禁止**〉によって安定した社会的労働や生産が可能になっているが、その禁止を侵犯して超えたところに、エロティシズムの領域がある、と説いています。簡単にいえば人間だけが持つエロティシズムという感情は、日常では「禁止」されている性的行為の領域に〈**侵犯**《バイオレーション》〉することによって生ずる不安や興奮ということです。

禁止事項で決められた〈**安全地帯**〉に縮こまっていて、つねに境界の内側にいようとしていないか。境界を乗り越える〈**越境**〉のチャレンジをしているか。うずうずと内側にとどまっている、その感覚で満足していないか。そうした感覚から抜け出すために何かをしているか。バタイユの言う〈侵犯〉はそんな問いかけにもなっています。

〈**中心**〉と〈**辺境**〉という考え方があります。中心というのはみんなが共通に価値を認めているような組織や社会だとすると、辺境というのはそれにくらべると、ちょっと外れにあるところです。西欧中心の見方からすれば、日本は辺境の地にある国であり、日本人、とりわけ当時の西欧から見た江戸時代人などは〈**マージナル・マン**〉（辺境人）です。

マージナル・マンは〈**境界人**〉とも訳されます。一つの足を帰属する組織や会社に置き、そこで役割をしっかりと果たす一方で、組織や会社に埋没することなく、もう一つの足を社会に置いて、自分の役割を見つめる。もう一つの足を社会に置いて所属する組織や会社を客観的に見る力を持った境界人あるいは越境者の方が、全人生を会社に捧げて生きている人間よりも、ときに新しい価値を生み出しやすいともいえます。

世の中というのは、中心にいる人が強いわけですが、本当はそこから外れた辺境あるいは越境から価値を生み出していくということがあってもいいのではないかと思います。美輪明宏さんの発言はなぜ共感を呼ぶのか。マツコ・デラックスさんは、男なのか女なのかよくわからないところで発言しているけれど、それが面白い。それは、男と女という厳然とした価値が中心にあるとすると、それを越境して発言しているからではないでしょうか。そういう人たちは、男であるという境界、女であるという境界をまたぎ越して侵犯していく〈**性別越境者**〉です。

文化人類学者の**山口昌男**さんは、アジアやアフリカなどの現地調査にもとづいて、社会は〈**中心**〉と〈**周縁**〉から成り立っていて、それまで否定的な面を担わされ、排除されるべきものと考えられていた〈周縁〉が、じつは他者性を持っているがゆえに多義的な豊穣性を再生産しつづける、というように意味づけています。

山口昌男さんはまた、〈**トリックスター**〉（道化）についても言及しています。もともとは神話や物語のなかで、善と悪、破壊と生産、賢者と愚者など、正反対の二面性を併せ持っていて、トリック（詐術）を駆使して、神や王などの権力者を翻弄《ほんろう》し、社会の秩序を混乱させたりする存在です。ある種の型破りな人物なわけですが、ビートたけしさんなどは、現代のトリックスターと言ってもいい存在です。みんながまじめにやっているときに、あえてふざけて、その意味や価値を疑い、解体してしまう。

価値の組み替えが起こらないとどうなるか。戦時中の「一億玉砕」はおかしいに決まっているのに、誰も異議を唱えない。挙国一致内閣で、国家総動員法になってしまって身動きがとれなくなった。全体主義的に一方向を向かなければならなかったので、境界もなにもないという状況でした。ですから、社会を健全な状態に保つという点からも、侵犯していく、越境していくという行為は大事なことです。

文学にも越境があります。推理小説というには純文学的だし、純文学というには推理小説的だという、越境している作品が結構あります。たとえばドストエフスキーの『カラマーゾフの兄弟』。父親殺しの犯人は誰だと探していく一種のミステリーであり、純文学でもあります。既成のジャンルを突き抜けてしまっているわけです。ビートルズも、それまで若者のための本当の音楽がなかったところに突き抜けていくという感覚で越境した。既成概念を乗り越えていくという動きは活性化につながります。

内側にはまり込んでしまうと、文化は沈滞していきます。そうならないために、たとえば歌舞伎は、伝統を守ってきただけではなく、人形浄瑠璃の『仮名手本忠臣蔵』がはやれば、それを演目に採り入れるというように、領域を決めつけないで、どんどんまたぎ越すことで活性化してきたわけです。今では漫画『ワンピース』も歌舞伎化されています。

みずから辺境に出てみよう。

何かに帰属していることは武器になりますが、それが甘えにつながり、原動力になるどころか、足を引っ張ることになりかねません。人は安全地帯に腰を落ち着けたがりますが、ときにはあちこち越境して、物や人とつながって、あるいはつなげて、新しい価値を創造したいものです。

(45)【上機嫌】不機嫌をかっこいいと思っていないか。

〈上機嫌〉は日常で使われる言葉ですが、上機嫌がたんなる気分なら、概念と呼ぶほどのことはありませんが、それが技である、作法であるととらえるなら、概念になります。こう考えて『上機嫌の作法』という本を出したことがあります。

ラフカディオ・ハーンは『日本の面影』のなかで、「日本人の微笑は、念入りに仕上げられ、長年育まれてきた作法なのである。相手にとっていちばん気持ちの良い顔は、微笑している顔である。……広く世間に対しても、いつも元気そうな態度を見せ、他人に愉快そうな印象を与えるのが、生活の規範とされている。たとえ心臓が破れそうになっていてさえ、凜《りん》とした笑顔を崩さないことが、社会的な義務なのである」と述べています。ラフカディオ・ハーンはかなり古い時代の日本を見たわけですが、そんな時代に、たとえば自分の夫が亡くなった、身内が亡くなったという話をするときでさえ、悲しみを相手に移さないために、自分で機嫌を整えて語っていたという事実から、日本人にとって機嫌がいいという状態はマナーである、〈**上機嫌というのは念入りに仕上げられた作法**〉になっているととらえたわけです。

しかし、時代が進むにつれて、知識人を中心に世の中は不機嫌の時代へとなっていきます。二〇二〇年に亡くなった劇作家の**山崎正和**さんは『**不機嫌の時代**』という著作で、志賀直哉、永井荷風、夏目漱石、森鷗外の作品を通じて、生きることにまつわる苦痛、不安、鬱屈《うっくつ》などのもやもやした雰囲気を〈不機嫌〉という気分として把握し、日露戦争後の時代の気分、社会全体の気分を分析しました。

明治の文豪は不機嫌な人が多かったし、そもそも一家のあるじである父親も不機嫌だったりして、お父さんはいま不機嫌だから、あんたたち、つまらないことを言うんじゃないわよというような感じで、家族全員が気をつかっていました。映画監督の黒澤明さんも不機嫌で怖い人だったそうですが、今の時代は、そうした怖い雰囲気がいいとは思われなくなっています。

若いうちは未熟ですから、ある程度、不機嫌であってもいいと思います。世の中に対してむかつくとか、生意気でいるというのは、一つのエネルギーだからです。しかし、三十五歳ぐらいになって、機嫌がコントロールできないとなると、ただの未熟者になってしまいます。自己コントロールができている人も多いと思いますが、そこにとどまらずに、もう一段上をいって上機嫌で生きてみようとすると、吹っ切れることができるのではないかと思います。

不機嫌でいると運がまわってきません。私は二十代なかばのころはまさに不機嫌な時代だったのですが、そんな状態だと、誰も仕事を紹介してくれない、誰もバックアップしてくれない、誰も引き立ててくれないので、運がめぐってきませんでした。そこで、ちょっと人付き合いをよくしてみたら、めぐりめぐって職にたどり着きました。〈**自分の機嫌を操《あやつ》る技を身につければ、自分の隠れた能力を発見し、発揮できる**〉。

「不機嫌」「ふてくされ」に生産性を上げるものはない、というのが私の実感です。

ビジネスパーソンには、精神面の管理は不可欠です。成果主義の導入、非正規雇用化、リストラの常態化など、働く環境は苛烈さを増していますから、資質や能力の高い者が生き残れるとはかぎりません。明るい人、元気な人、何かやりそうな人には自然と人が集まります。一緒に明るくなりたい、成功したい、楽しみたいという願望が働くからです。〈**上機嫌は、リーダーシップの基本である求心力の重要な条件**〉です。

私は、大学の授業でも、上機嫌にやる方がうまく授業ができることに気づいて、年がら年中、上機嫌で二十年もやってきた結果、職業的上機嫌が身についてしまい、学生を注意するときでも、ついつい上機嫌にやってしまいます。

サモアに行ったとき、現地の人たちは、人前で不機嫌でいるのは恥だというふうに言っていました。ラフカディオ・ハーンが見た日本人も、不機嫌になったり、パニックになったりするところを見せないで、安定していることを大事にしたわけで、まさに「日々是好日《にちにちこれこうじつ》」という心持ちで気持ちよく生きることは人生最大の課題です。

自分の機嫌を操る技を身につけるには形《かたち》から入るのがいいと思います。力を抜いて、ふんわりとした穏やかな笑顔で人と接して、きりきりしないようにする。ミスした人がいた場合でも、おかげでわかったこともあった、今後、同じことが起きないようにシステムが改善されれば、もうそれでいいか、みたいな感じで、会議でも深刻になりがちなところをちょっと空気を軽くしていくことも、上機嫌を演出するのに有用です。

練習によって上機嫌を演出する作法を身につけよう。

機嫌というと、自分ではコントロール不能のように思いがちですが、上機嫌というのは気質ではなく、練習して身につける作法です。心身ともに上機嫌でなければアイデアも生まれません。上機嫌だと対人関係もうまくいきます。上司などの部署のリーダー的な立場にある人は、とくに上機嫌を演出する必要があります。

⑷⑹【模倣の欲望】 Désir d'imitation
人まねはいけないことと思っていないか。

人には模倣したいという欲望があり、欲望自体が人の欲望を模倣している。それが欲望の本質であるという概念は目を開かせてくれます。現代フランスの思想家**ルネ・ジラール**は『**欲望の現象学**』で、〈**欲望は他者の欲望を模倣することでできている**〉と説きました、そもそもは**ヘーゲル**が「欲望は模倣される」と述べたことによるのですが、たとえば、ある女性がある男性のことを好きだと告白したとたん、それまでそんなことは全然思っていなかった別の女性がその男性を好きになり、奪い取ってしまう。ジラールは、他者が主体の欲望を妨げるライバルに変わることで、主体、他者、欲望の対象が三角形になることから、この関係を〈**欲望の三角形**〉と呼びました。

文学は三角関係を扱うものが少なくありません。夏目漱石の『こゝろ』も、Kがお嬢さんを好きだと言ったら、親友の「先生」が、先を越されたと言って、そのお嬢さんを奪い取る。先生もお嬢さんを好きだったのかもしれませんが、しかし、競争相手が出てきたことで燃え上がってしまい、Kを出し抜いて、先にお嬢さんをくださいと言ってしまった。Kの欲望の模倣だったのですが、結果的にKを死に至らしめます。

自分がやりたいと思っていることや欲しいと思うものは、本当にやりたいことや欲しいものではなく、人の欲望の模倣ではないか。あの人が欲しているものなら、きっといいものにちがいない。広告宣伝はこれを意識的につくりだすことで需要を喚起しています。テレビCMで美味《おい》しそうに食べていれば、自分も食べたくなる。「欲しい」という気持ちの人がいると、他の人にもその気持ちが伝染するのです。

かつて紅茶キノコ健康法がブームになりましたが、今では完全に忘れられています。短期集中型エクササイズのビリーズ・ブート・キャンプもはやりましたが、今もやっている人は多くないと思います。私も一回こっきりDVDを見ながらやっただけでお蔵入りになりました。人の欲望をまねしただけ、ブームに乗っかっただけなわけです。

私が幼稚園児のとき、公園の砂場の斜面を使ってビー玉を転がすというパチンコみたいな遊びが、突如、はやったことがありました。それがエスカレートして、朝、早く行ったやつはその斜面の場所取りができる。その権利をビー玉何個かで取り引きするという、園児たちの資本主義がそこに生まれて、みんなが夢中になっていたことがありました。

世の中の価値が欲望の模倣で成り立っていて、それをいいと思う人が増えることで、その価値は加速していきます。ファッション業界などはそれを逆手にとって、今年の流行はこれですが、来年のトレンドはこうなりますと言いつづけることで需要を喚起しています。欲望の模倣を利用してブームをつくりだすことでビジネスが成り立っている以上、私たちはいやがおうでも欲望の模倣が増幅する社会に生きているわけです。ピコ太郎さんの「ＰＰＡＰ」が世界的に人気を博しましたが、I have a pen は日本の中学一年レベルの例文です。そんなシンプルな面白さから、みんながまねしたいとなった。〈**まねしたいということがあると、そこに価値が生まれる**〉わけです。

教育でいえば、〈**教えるとは憧れに憧れさせる力です**〉。教える側が今やろうとしていることに憧れを持つことが大事です。人は、人が憧れているものに憧れる性質を持っているからです。高橋尚子さんたちを育てた陸上競技指導者の小出義雄さんは生前の元気なころは、二日酔いでも必ず選手と走っていたそうです。「これほど監督は走るのが好きなんだ」と思い、惹きつけられて、自分も走ることを愛するし、走ることを愛している人に教えてもらえて幸せだと思う。何かに向かって突き進んでいるベクトルの方向性と量、これが相手を刺激するわけです。

教える側にそうした思いがないと教わる側のモチベーションは上がりません。教える側が教えられる側に情熱を持つのではなく、みずからが憧れに情熱を費やして、その憧れを模倣したいという方向へ教え子を導くのが教育です。教える側の憧れが生徒の憧れを生むわけです。生徒の側から見ると「先生の憧れに憧れる」ことになります。

まねをすること、模倣をすることは独創性を妨げるものだという考えが根強くあります。それは呪縛になっていると言えるほどです。たしかに世の中は、自分の頭を使わずに、そのまま流用するパクリのようなルール違反も横行しています。それは問題外ですが、文化はすべて模倣に原点があります。〈**模倣の上に立って、オリジナリティが生み出されます**〉。自分の独創的なスタイルを確立した芸術家は、意図的にすばらしい先人の模倣をしています。その過程で自分ならではの味付けをしていく。そこから、それまでのものとはまったくちがう独創的なスタイルをつくりあげています。

身近に憧れの先達を持とう。

上手に模倣すれば、先人の素晴らしさに、自分の味付けがなされ、まったくちがうものに仕上げることができます。自分のなかに人から何かを取り入れて、それを消化して自分の表現にする。そのときに、自分流の味付けを出せるかどうか、そのための変換装置を持つという発想が重要になります。

(47)【ビルドゥング】Bildung
自分の成長を意識してとらえているか。

〈ビルドゥング〉は〈形成〉を意味するドイツ語です。ビルドゥングは教養と自己形成がセットなので、**〈教養による自己形成〉**とも言われ、自己形成の過程が描かれた小説が**〈ビルドゥングスロマン〉**（教養小説、自己形成小説）と呼ばれるものです。

ロマン・ロラン『ジャン・クリストフ』、ヘルマン・ヘッセ『デミアン』、トーマス・マン『魔の山』など、いずれも主人公の若者が苦難を通してさまざまなことを学び、一人前になるまでの成長過程を描いています。

『ジャン・クリストフ』は私が浪人中に読んだ青春の書です。慣れない独り暮らしをはじめて不安だった私は、人間の成長が描かれたこの本を毎晩少しずつ読んで、精神を整えるということをしていました。

この長大なストーリーを読むと、自分がもう一つの人生を生きたような感覚になります。あるいは『デミアン』には、クローマーにいじめられたことで頭がいっぱいになってしまうシンクレールの姿が描かれています。

理想と現実の乖離《かいり》に悩み、この現実のなかで自分はどうあるべきか、どう生きるべきかを模索していたときだったので、人生のさまざまな出来事に向き合う物語の世界に耽溺《たんでき》することが当時の私には必要だったのだと思います。

大学院に在籍していたころに、「ビルドゥングスロマンを読む会」というのがありました。この会は自己形成小説、教養小説だけを月一回、読みつづけるというものでした。そんなこともあって、明治大学で学生たちに、自己形成小説を読もうと呼びかけたら、結構、人が集まって、「ビルドゥングス研究会」という読書会を隔週で開いていました。

自己形成小説とはちょっとタイプはちがいますが、ガルシア・マルケスの『百年の孤独』も読書会で人気がありました。蜃気楼《しんきろう》の村マコンドの草創、隆盛、衰退から、ついには廃墟と化すまでの百年を描いたものです。

不思議な読後感があって、このテイスト、この香りは自分の幼いころの記憶にあるものだとなって、自分の人生をさかのぼったような感覚にとらわれます。人生自体が旅のようなものですから、自分の人生を自己形成小説として見直してみると、自分にも結構いろいろあったなと掘り起こされてきます。

私は最近、高校生時代をよく思い出します。勉強しなさすぎて浪人したり、運動部に打ち込みすぎたり、好きな女の子がいて、相手もそう思ってくれていたのに、一年に一、二回ぐらいしか会わなかった。あるいは、高校一年のときに、おれはこの一年で成長したはずだから、おまえが知っているおれは今の自分とは違うなどと、滔々《とうとう》と語るということもしました。いったい何を考えていたのか、いま思い返しても理解不能なぐらいのばか さ加減です。

こんなふうに自分の人生をこまかく見てみると、自己形成小説として誰でも思い返せます。エピソードというのは意外に忘れているものなので、漠然としかとらえていないものです。それを手帳に書いたり、スマホにメモったりして書き出してみると、自分の成長が感じられます。

テレビ番組で、今まで自分が本当にばかなことをしたなと思うことは何ですかというアンケートがあったりします。そこで、ばかなエピソードを書き出していったら、いろいろと思い出してきて、そういえば空手の前蹴りにやたら凝っていたときがあったなと思い出したりしました。電信柱を見ると、前蹴りをせずにはいられないというふうに夢中になった時期があったのです。

ドストエフスキーの『罪と罰』。主人公のラスコーリニコフはプライドばかりが高くて働かない。天才は何をしても許されるという訳のわからない論理で、金貸しの老婆よりも、自分が金を持った方が有効に使えるはずだと考えて、老婆を殺して金を奪う。そういうばかなやつなわけですが、読んでみると、自分にもラスコーリニコフ的な思い上がりみたいなものがあるなと思い至ったりします。そういえば、ラスコーリニコフ検定というのをつくった女子学生がいました。何項目に当てはまるから、あなたのラスコーリニコフ度はこれこれですと検定できるというものです。

中島敦の『山月記』は、中国のある官吏が、「臆病な自尊心」と「尊大な羞恥心」により、ついにあさましい人食い虎に成り果てるという物語です。「尊大な羞恥心」とか「臆病な自尊心」で失敗するというのはよくあるケースですから、小説を読むと、そういう態度を照らし出してくれる鏡になってくれます。

自分を振り返るための視点を持とう。

教養とは、自分を別の視点で振り返るための〈装置〉です。小説を通して自分の人生を見直すのも、その一つです。教養は心の免疫力を高めてくれます。教養は先人の残してくれた文化を吸収して、自分の栄養にし、それを血や肉に変えて自己を形成していく行為そのものです。

⑷8 【智・仁・勇】人としての徳を意識して生きているか。

「あの人は徳がある」というのは、人として非常によい資質を持っているという意味になります。

この人徳について孔子は、「智者は惑わず、仁者は憂えず、勇者は恐れず」として、〈智《ち》・仁《じん》・勇《ゆう》〉という三つの徳を説いています。

江戸時代の儒学者・佐藤一斎《いっさい》は「智（知日）・仁・勇は、あまりにも大きな徳目で、凡人にはとても望むべくもない、と敬遠する者がいるが、たとえば村長は、悪事を探して調べる知恵、孤児や困窮している者への仁、悪者をこらしめる勇気、この三徳がおこなわれているかを反省したらいい。敬遠するのではなく、身近な日常から試みることである」と説いています。

西郷隆盛も、佐藤一斎が著した『言志四録《げんししろく》』（一斎の四冊の主著の総称）から、〈智・仁・勇〉をわざわざ引用して書き記しています。

私は「3」という数字には、人間を突き動かす特別な力があると考えています。「3」は逡巡《しゅんじゅん》せずにとりかかれるちょうどいい数です。さらに「3」はものごとをまとめ、分類し、しっかりと定着させるのにも力を発揮します。二脚より三脚の方が、ずっと安定します。

〈智・仁・勇は人間の精神の骨格の三本柱〉です。

〈智〉というのは、ものごとがよくわかっていて判断を間違わないという〈**判断力**〉です。

〈仁〉というのは、情けの感情があるという〈**思いやり**〉です。

〈勇〉というのは、困難を恐れずに立ち向かう〈**勇気**〉であり〈**行動力**〉です。

〈智・仁・勇〉が具わっていれば、人間合格だと考えたらいいと思います。

頭がよく、判断力もあるけれども思いやりのない人は、この世には存在するわけですし、反対に、やさしくて情感はあるけれども判断力がないというのも、これはこれで困ります。〈智・仁〉は人間としてどちらも欠かせない資質ですが、それにプラスして勇気が必要です。

一部上場を独力ではたした起業家に聞いたところ、成功の秘訣は、困難があまりにも多かったので、それを乗り越える「胆力」と「行動力」だと言っていました。起業するとか自分で価値を生み出すような人は、勇気をもって困難と闘い、行動する必要性をよく心得ています。

この三徳を心得ていると、うまくいかなかったのは〈智〉が足りなかったからだ、〈勇〉が足りなかったからだ、〈仁〉の心がないから自分は人望がないのだと、その原因がわかってきて、これからどうすればよいかが見えてきます。

しかし、儒教の教えが身についていた時代とちがって、今は三徳を意識している人はさほど多くありません。そこで私は、孔子以来二千五百年の〈智・仁・勇〉を身体論的にとらえるために、三つの徳をそれぞれ押さえる体の位置を決めることで、身体パフォーマンスとして意識することをやっています。

講演などで、右手を〈智だと思う場所〉に当ててみてください、「せーの」と声をかけると、ほとんどの人が「おでこ」、つまり「前頭葉」に手を当てます。前頭葉はヒトの脳の司令塔で、自分の考えや行動、意思決定をコントロールし、言葉を話したり、体を動かしたりする機能も担っています。人が人であるために、もっとも関与している部分です。手を当てることで、前頭葉があるおでこのところにある「第三の目」を意識しようという試みです。

「仁はどこにあると思いますか」とやると、大多数の人が「胸」に手を当てます。真心、優しさ、ハートの「胸」です。胸騒ぎがするとか、胸がすっきりするとか、恋愛すると胸が熱くなるといった身体感覚が大事になります。

「勇はどこにあると思いますか」とやると、多くの人が「腹」に手を当てます。腹(肚《はら》)といっても、実際は臍下丹田《せいかたんでん》です。おへそから横にした指三本分ぐらい下に手を当てるようにします。かつては帯を締めることで臍下丹田を意識できたのですが、今はそういう機会が少ないので、腹に手を当ててしっかり力がこもっているかどうかを意識することが大切です。

この三カ所に手を当てて、自分には何が欠けているかとか、今は大丈夫だとかいうふうにチェックをしようということで、私は〈**智仁勇運動**〉なるものを折にふれてやっています。

孔子の実人生を見ると、十五年くらい諸国をまわって、その間、どこにも仕官することができませんでした。要するに就職できなかったわけです。私も職がない時代がありましたが、「孔子ほどの人が就職できないのなら、自分が就職できないのは仕方がない」と意を強くしていました。

孔子のすごいところは、自分が世に認められなくても、やけになったりしないところです。プライドが高いわけではありません。自分を求めてくれる人がいれば、すぐにでもその人のもとに馳せ参じようとします。世の中の役に立ちたい。有益な人物として自分を使ってもらいたい。そんな気持ちがつねにあった人です。

『論語』に「徳は孤《こ》ならず。必ず隣有《となりあ》り」という一文があります。「徳のある人は孤立することなく、必ずよき協力者にめぐまれる」という訳が一般的ですが、私は「いろいろな徳は必ず隣り合わせになっていて、一つを身につければ隣の徳もついてくる」と訳しています。智でも仁でも勇でも、自分の得意なところ、できそうなところを伸ばしていけば、他の徳もおのずとついてきます。

徳は達成の難しい理想なのか。必ずしもそうではありません。孔子は「仁遠からんや。我、仁を欲すれば、斯《ここ》に仁至る（仁ははたして遠いものだろうか。私たちが仁を心から求めるなら、仁はすぐここにある）」と言っています。今できることをやる。そのとき、徳が身の内に出現している、そんなイメージです。

〈智・仁・勇〉で心の耐震構造を築こう。

〈智・仁・勇〉は人間の言動の原理原則です。この三つがあればいいというふうにシンプルに考えると、心の耐震構造がしっかりしてきます。〈智・仁・勇〉を実践して常に新しい燃料を自分に供給していきたいものです。

(49)【悟り】
悟りなんて自分には無縁と考えていないか。

今の日本人に〈**悟り**〉とは何かと尋ねたら、わからないと答える人が多いと思います。一方で、外国人が好きな言葉の一つに「禅」があります。禅＝日本と思われています。

禅のルーツはインドで、それが中国に渡り、中国から日本に来て、日本で花開き、わが国は「禅大国」になりました。

悟りを開くことが禅の目的です。悟りという仏教の概念はけっしてむずかしくないので、外国人に禅や悟りについて聞かれたら答えられるようにしたいものです。

悟りとは、〈**思いわずらわずに今の時間に集中できている状態、それでいて自分の意識が勝ちすぎていない状態、リラックスして集中できている状態**〉、つまり〈**何ものにも惑わされない、すっきりとした頭や身体であること**〉です。

曹洞宗の開祖・道元は、「常住坐臥《じょうじゅうざが》」、寝ても覚めてもすべてが禅である、「自己をならうとは自己を忘るるなり」、つまり自分の体や心への執着から生まれる煩悩から解放されたところに心身の解脱《げだつ》、悟りがあると説いています。

宮本武蔵は『五輪書』で、地、水、火《か》、風《ふう》、空《くう》の五巻に分けて兵法について述べていますが、最後の「空の巻」で、兵法の本質とは、何ものもない空の境地、融通無碍《ゆうずうむげ》の境地で、その境地にならないと勝てないと説いています。

こう書くとむずかしく聞こえるかもしれませんが、たとえば山登りをしている最中に、この先、いくつ峠を越えたら頂上に着くのかというようなことを考えずに、ただひたすら足を一歩一歩進めて、調子よく登れているというのは、悟っている状態になっています。

悟れない人は、〈今〉のことに集中できずに、たとえば明日の試験が気になって目前の勉強が手につかないというように、〈今〉が〈将来〉から侵食されいて、前回の試験がうまくいかなかったから今回もだめなのではないかというように、〈過去〉からも侵食されています。前にもとりあげたように、禅では、過去と未来を断つ〈**前後際断**《さいだん》〉をとても大切にしています。

私は〈**人生いたるところ悟りあり**〉と考えています。

〈**気持ちが落ち着いている、リラックスしているのに集中しているという悟りの状態**

は、人として最強モードです〉。人生がうまくいかない、不安やイライラばかりだというのは〈**悟り不足**〉が原因のことが多いのです。

周囲の評価をあまり気にしない人がいます。彼らは、自分への評価よりも、この仕事の結果がうまくいけばいいぐらいの〈**無の境地**〉でやっているので、結果的に成果を出したりします。

禅の修行に独り壁に向かって坐りつづけるというものがありますが、これは、他者に自分を認めてもらわなくては存在できないという弱さから無縁になろうとするものです。無の境地で自己をしっかり見つめれば、他者に認めてもらわなくても存在意義をつかむことができるようになります。

そもそも仏教は、唯一神を設定しておらず、自分で悟りを得る宗教です。私は〈**悟りのバロメーター**〉を「ブッダ率」と規定し、一〇〇パーセントを「釈尊」の境地と定めて、日常生活でブッダ率を高めていくことを唱えています。

私たちは、ブッダそのもののように、ブッダ率一〇〇パーセントになるのはむずかしくても、悟りがゼロということはありえません。誰しも何パーセントかは日常で悟っています。

悟りや無の境地を高尚なものととらえない方がいいと思います。「凡人が悟ってもいいじゃないか！」「誰でもブッダの直弟子になれる」と私はつねづね言っています。たとえば、私は解答用紙を百枚採点しなければならないことがあるのですが、つらい仕事、反復的な仕事を繰り返していると、一種のマシンと化して、面倒くさいということすら考えなくなってくるのです。これも一種の無の境地、悟りです。

アイデアが下りてきた、メロディが降って湧いた。自分がやったんじゃない、体が勝手に動いていたなどという体験は誰にでもあると思います。

先日亡くなったノーベル物理学賞受賞者の益川敏英先生は、素粒子を四元のモデルで究明しようとしたのですが、これでは説明できないことがわかって、あきらめて放り投げた。家に帰って湯船に浸かって考えた。そして湯船から立ち上がったとき、素粒子の六元のモデルでならいけるのではないかとひらめいたといいます。あきらめてまっさらの状態になったときに、アイデアが下りてきたわけです。

人に勝とうとか、モテようと思っている人は、自意識が表に出てしまって、あの人は目立ちたがり屋だとか、あの人は暑苦しいと言われて嫌われてしまいます。そうした不自然さは人を遠ざけてしまうのです。

自分というものが消えていながら、今ここにある自分というものに注意深くある心身の在り方。身体の重心においても、心や精神の方向性においても、寄りかからないゆとりをもった構えは、人生を楽にしてくれます。

悟りは言葉を離れた無心の状態のようですが、それでも言葉は月を指す指のように、悟りという月の方向を教えてくれます。禅宗では「不立文字《ふりゅうもんじ》」（悟りの境地は言葉や文字で表現するのは不可能）と言いますが、曹洞宗の開祖の道元なども、膨大な言葉を残しています。先にも少しふれましたが、「仏道をならうというは、自己をならうなり。自己をならうというは、自己をわするるなり」「自己をわするるというは、万法《まんぽう》に証《しょう》せらるるなり（さまざまなことに振りまわされている自分に目覚め、そのような自分から解放されること）」（『正法眼蔵《しょうぼうげんぞう》』）。この言葉を金言としてときおり思い出して、つぶやくだけでも、自己への執着を少し落とせる気がします。自他の区別を減らして、何かに没頭するのも、悟りへの道ですね。

悟りを技化しよう。

悟りのバロメーターは、自分の偏ったものの見方や考え方を捨てていく心のトレーニングによって高まります。その結果、何ものにも惑わされることのない平常心と安心、バランス感覚に優れた判断力が具わります。この体験は誰にでも可能で、メソッド化（悟りの技化）することができます。

(50)【粋】粋な生き方は古くさいと思っていないか。

人生は、たんに食べて寝て、なんとなく生活して終わるだけではむなしいものです。誰しも、もっと美しく生きたいと思っているのではないでしょうか。俳優の高倉健さんが亡くなったとき、多くの人がその死を悼みました。それは、健さんの容姿だけではなく、映画の中で演じた姿、漏れ聞く私生活のエピソードからその生き方に美学を感じて、こんな生き方をする人は、これからは出てこないのではないかと感じたからだと思います。健さんが映画で演じる姿は無口だけれども非常に心がこもっていて、背中で示す、行動で示す、一貫した自分の美学を持っていました。私たちはそういう人を見たときに、〈粋《いき》〉だなと思うわけです。

日本人の生き方の美学の根幹というか代表的なものを「**いき**」(粋)という概念でとらえたのが、先にも挙げた哲学者の**九鬼周造**です。九鬼はヨーロッパに長期滞在中、西洋哲学を探究するなかで、かえって日本の美と文化に惹かれていきました。そして帰国後、『「いき」の構造』を著しました。粋に生きることは日本人独特の生き方の美学です。先にとりあげたように、九鬼に言わせると、**粋とは「色気（媚態《びたい》）」を「心の強さ・張り（意気地《いきじ》）」と「垢抜《あか》けした態度（諦め）」で抑制した絶妙なバランス状態のこと**を言います。

「媚態」というのは、平たくいえば惚れた相手を自分のものにしたいという欲望からにじみ出る色気のことです。ところが、惚れた相手をものにすると「媚態」は弱まってしまいます。自分のものにしたいと思っている状態の、ある種の緊張感があってこそ「媚態」は持続しつづけます。そのためには「意気地」と「諦め」が必要だと九鬼は説いています。「意気地（心の強さ・張り）」とは気概、心の張り、あるいはやせ我慢のようなものです。媚態を持続させ、距離を置いても媚態が朽ちないために、そこにさらに磨きをかけるのが「心の張り」です。粋な振る舞いや粋な存在をまっとうしようとする心意気です。

人間関係で相手との関係が平行線、つまり近づきも離れもしない状態をつづけていけるのが心の張りです。この二本の平行線的な緊張感がないと、極端な場合、ストーカーになってしまったり、相手に夢中になって言いなりになってしまったりします。粋な態度、粋な生き方というのは〈**相手との適正な距離を保つこと**〉なわけです。

「諦め（垢抜けした態度）」は、欲望に執着しない態度です。人生の場数を踏んで、酸《す》いも甘いも嚙み分けている、いい意味での諦めの境地です。人生を知っている人というのは、洗練されすぎてもいなければ、野暮でもない。派手すぎず、地味すぎない。諦めの境地というのは、その中間を心得ているということです。粋な態度、粋な生き方というのは、**〈抑制しすぎず、開放しすぎない、適度な生き方〉**のことです。

このように、〈媚態〉〈色気〉が具わっている人は、相手との適正な距離を保ち、抑制しすぎず開放しすぎない、適度な生き方ができる人です。そういう生き方ができている人は、人を惹きつけます。役者でも男優・女優を問わず、人気の高い役者は、容姿だけではなく、自分の生き方の美学を持っていることが多いものです。

自分の生き方を考えたとき、たとえば仕事はしてきたけれど、粋という概念で見てみたら、あまり褒められたものではなかったなどとわかってくることがあります。大きな成果を上げて人に注目されることを生き甲斐にしてきたけれど、派手な生き方一辺倒でいいのだろうか。着実に成果を出して地味に生きるというのも一つの生き方かもしれないと思うようになったりします。そういうふうに自分の生き方の美学を追求していくことで、見かけ倒しではない、本当の自分らしさができてきます。

今の時代は、いろいろと問題を抱えていて、その問題をどうやって解決するかということに精一杯で、人のことなどかまっていられないという人が増えています。これが人間関係の希薄化につながっています。人と人とのかかわりが薄くなり、世の中がなんとも面白くなくなってしまっています。

粋な生き方というのは〈**自分自身の生きるエネルギーを高める**〉ことにつながります。向かい風のときも、追い風のときも、不調のときも、順調なときも、自分の生き方の美学を持っている人は、生き生きしています。そういう人が増えれば、希薄化が進んでいる社会を活性化させることができます。

粋な生き方というのは、けっして古くさいものではなく、きわめて現代的な要請だと私は思っています。「論語読みの論語知らず」という言葉があります。どれだけたくさんの本を読み、膨大な知識を蓄えていても、生き方の美学を持っていなければ、それを生かすことはできません。

ゆらぐことのない心の芯を持とう。

粋な生き方ができる人は、ゆらぐことのない心の芯を持っています。強い思いを大切にしながら、必要以上に執着したり、こだわりを持たない。精神に張りを持って、粋な大人として生き生きと生きたいものです。

います。

概念というと堅苦しい感じがしますが、私たちはふだん概念を自然に使いこなしています。

たとえば「免疫」。医学の概念ですが、「あー その種のことには免疫があるから大丈夫です」などと日常会話でアレンジして使っています。

あるいは、「ワクチン」もアレンジすれば、日常概念になります。あえて少量のウイルス（マイナス要素）を意識的にとり入れることで免疫を作り、本格的な病気を避けることができます。

文学をワクチンとして捉えることもできます。太宰治の『人間失格』を読んだ人が、主人公の大庭葉蔵《おおばようぞう》をそのまま真似するわけではありませんが、作品に含まれる毒が心を強くすることもあります。

コロナ禍で頻繁に用いられた免疫やワクチンといった用語も、アレンジして、日常概念化して活用できるわけです。

たとえば、ＭＬＢで大活躍している大谷翔平選手は、「二刀流」という概念を体現して広めています。宮本武蔵が両手に刀を持って戦ったのが、文字どおりの二刀流です。ホームランダービーのトップを走る超強打者が投手として三振を取りまくる。その超人ぶりに武蔵を重ねてみると、二刀流という言葉もいっそう面白く感じます。「自分なら何と何の二刀流ができるだろうか」と自分に概念を適用してみることもできます。

本書で紹介した50の概念は、活用していただくと、真価を発揮します。そのためには、まず自分の言葉として使ってみること。

たとえば「大谷選手は、マインドフルネスができているねえ」といった感じです。過去や未来のことに心をわずらわせることなく、今を生きるのが、マインドフルネスです。

大谷選手のチームメイトでMLB最高の選手とされるマイク・トラウト選手は、こんなことを言っています。

「ショウヘイのメンタルは感銘を受けるくらいすごい。本来、バッティングっていうものは難しいんだ。俺たちだって大部分で失敗している、だけどショウヘイは、失敗した打席をいっさい引きずらない。本当にすぐに切り替えるんだよ。それに加えて、彼はピッチングもやっているから驚きでしかない、ショウヘイは失敗しても、腹を立てているのを見たことがない。つねに笑顔でいる。そして、どんなときも努力を惜しまない。あいつはすべて、モノが違うんだ」

賞賛がうれしくて、つい長く引用してしまいましたが、このレベルだと「悟り」や「無心」という概念の体現者のようにも思えます。やがて「オータニする」という概念もできるかもしれません。

言いたいことは、概念の活用は、いつでもできるということです。

私は、写像・関数を中学で学習して以来、$y=f(x)$ の f が頭を離れたことがありません。世の中の何を見ても、f を見つけるクセさえつきました。カラオケボックスに行くと、「あー　これはボックス化という f だな」「あー　プロの部分を抜いてスペースを作り、素人の参加を可能にする f だな」といった具合です。

世の中を実体として見るのではなく、変換・関数として見る思考習慣。これが私にとっての f という概念の活用です。

「概念で世界の見方が変わる！」という私の感動を、みなさんと分かち合うことができれば、うれしく思います。

齋藤　孝

二〇二一年八月

＊　本書は、二〇一七年に当社より刊行した著作を文庫化したものです。

草思社文庫

世界の見方が変わる50の概念

2021年10月8日　第1刷発行

著　者　齋藤 孝

発行者　藤田 博

発行所　株式会社 草思社

〒160-0022　東京都新宿区新宿1-10-1
電話　03(4580)7680(編集)
　　　03(4580)7676(営業)
　　　http://www.soshisha.com/

本文組版　相内 亨

本文印刷　株式会社 三陽社

付物印刷　株式会社 暁印刷

製本所　加藤製本 株式会社

本体表紙デザイン　間村俊一

ISBN978-4-7942-2544-3　Printed in Japan

草思社文庫既刊

声に出して読みたい日本語①〜③

齋藤 孝

黙読するのではなく覚えて声に出す心地よさ。日本語のもつ豊かさ美しさを身体をもって知ることのできる名文の暗誦テキスト。日本語ブームを起こし、国語教育の現場を変えたミリオンセラー。

声に出して読みたい論語

齋藤 孝

「論語を声に出して読む習慣は、心を研ぐ砥石を手に入れたということだ。孔子の身と心のあり方を、自分の柱にできれば、不安や不満を掃除できる」（本文より）日本人の精神を養ってきた論語を現代に。

声に出して読みたい親鸞

齋藤 孝

なぜ自力ではなく他力なのか。なぜ悪人のほうが救われるのか。「歎異抄」「教行信証」「和讃」などから代表的一〇〇語を選び、朗読用に大活字、総ルビで組んだ本。声に出してこそ親鸞の真髄がわかる。

草思社文庫既刊

齋藤 孝
人生練習帳

人生を後悔することなく生きていくには日頃から「練習」が必要だ。文豪やトップシンガーが紡ぎだす名言・名句をヒントに人生の予習復習を提案。人生の景色が明るくなる齋藤先生の人生論。

齋藤 孝
夏目漱石の人生を切り拓く言葉

「牛のように進め」「真面目とは真剣勝負のことだ」など、若き弟子たちに多くの意を尽くした励ましの言葉を贈った漱石の現代にも通用する人生の教え。**『夏目漱石の人生論 牛のようにずんずん進め』改題**

頭木弘樹＝編訳
絶望名人カフカ×希望名人ゲーテ
文豪の名言対決

どこまでも前向きなゲーテと、どこまでも後ろ向きなカフカ、あなたの心に響くのは？ 絶望から希望をつかみたい人、あるいは希望に少し疲れてしまった人に。**『希望名人ゲーテと絶望名人カフカの対話』改題**

草思社文庫既刊

庭仕事の愉しみ
ヘルマン・ヘッセ　岡田朝雄＝訳

庭仕事とは魂を解放する瞑想である。草花や樹木が生命の秘密を教えてくれる。文豪ヘッセが庭仕事を通して学んだ「自然と人生」の叡知を、詩とエッセイに綴る。自筆の水彩画多数掲載。

人は成熟するにつれて若くなる
ヘルマン・ヘッセ　岡田朝雄＝訳

年をとっていることは、若いことと同じように美しく神聖な使命である（本文より）。老境に達した文豪ヘッセがたどりついた「老いる」ことの秘かな悦びと発見を綴る、最晩年の詩文集。

ヘッセの読書術
ヘルマン・ヘッセ　岡田朝雄＝訳

よい読者は誰でも本の愛好家である（本文より）。古今東西の書物を数万冊読破し、作家として大成したヘッセが教える、読書の楽しみ方とその意義。ヘッセの推奨する〈世界文学リスト〉付き。

草思社文庫既刊

アレックス・ペントランド　小林啓倫＝訳
ソーシャル物理学
「良いアイデアはいかに広がるか」の新しい科学

ＳＮＳで投資家の利益が変わる、会議で全員が発言すると生産性が向上する、風邪のひきはじめは普段より活動的になる――人間行動のビッグデータから、組織や社会の改革を試みる〝新しい科学〟を解き明かす。

矢野和男
データの見えざる手
ウエアラブルセンサが明かす人間・組織・社会の法則

ＡＩ、センサ、ビッグデータを駆使した最先端の研究から仕事におけるコミュニケーションが果たす役割、幸福と生産性の関係などを解き明かす。「データの見えざる手」によって導き出される社会の豊かさとは？

ジャレド・ダイアモンド　Ｒ・ステフォフ＝編著　秋山　勝＝訳
若い読者のための 第三のチンパンジー
人間という動物の進化と未来

『銃・病原菌・鉄』の著者の最初の著作を読みやすく凝縮。チンパンジーとわずかな遺伝子の差しかない「人間」について様々な角度から考察する。ダイアモンド博士の思想のエッセンスがこの一冊に！